LE NOMBRIL DE SCHEHERAZADE

Du même auteur

ROMANS

Noëlle à Cuba, Sudbury, Prise de parole, 1988
Baptême, Sudbury, Prise de parole, 1982

CONTES

Contes et récits d'aujourd'hui (collectif), Montréal, XYZ/ Musée de la civilisation, 1987
Nuits blanches, Sudbury, Prise de parole, 1981
Contes et nouvelles du monde francophone (collectif), Sherbrooke, Cosmos, 1971

NOUVELLES

Jeux de patience, Montréal, XYZ, 1991
L'Aventure, la mésaventure (collectif), Montréal, Quinze, 1987

AUTRES

Dictionnaire des citations littéraires de l'Ontario français depuis 1960 (en collaboration avec Mariel O'Neill-Karch), Ottawa, L'Interligne, 1996
Les Ateliers du pouvoir (essais sur les arts visuels au Québec), Montréal, XYZ, 1995
Options, textes canadiens-français choisis et annotés (en collaboration avec Mariel O'Neill-Karch), Toronto, Oxford, 1974

Deux cent cinquante exemplaires de cet ouvrage ont été numérotés et signés par l'auteur.

Pierre Karch

LE NOMBRIL DE SCHEHERAZADE

Roman

Prise de parole
Sudbury
1998

Données de catalogage avant publication (Canada)
Karch, Pierre
Le nombril de Scheherazade

ISBN 2-89423-092-3

I. Titre.

PS8571.A82N65	1998	C843'.54	C98-932423-0
PQ3919.2.K37N65	1998		

En distribution au Québec: Diffusion Prologue
1650, boul. Lionel-Bertrand
Boisbriand (Qc) J7H 1N7
(514) 434-0306

Prise de parole

Prise de parole se veut animatrice des arts littéraires en Ontario français; elle se met donc au service des créatrices et créateurs littéraires franco-ontariens.

La maison d'édition bénéficie de l'appui du Conseil des Arts de l'Ontario, du Conseil des Arts du Canada, de Patrimoine Canada (Programme d'appui aux langues officielles et Programme d'aide au développement de l'industrie de l'édition) et de la Ville de Sudbury.

Œuvre en page de couverture: *Nocturne* de Mariel O'Neill-Karch
Conception de la couverture: Max Gray, Gray Universe
Photographie de l'auteur: MOK

Éditions Prise de parole
C.P. 550, Sudbury (On) CANADA P3E 4R2

ISBN 2-89423-092-3

Ah, racontez-moi donc quelque chose, mais s'il vous plaît, quelque chose de pas trop ordinaire.

Heinrich Böll, *Le destin d'une tasse sans anse*

REMERCIEMENTS

Je remercie mes collègues David McNally, Georges Moyal et Jean-Claude Jaubert, membres du jury de sélection de la Bourse de recherche de Glendon pour l'année 1996-1997, qui ont obtenu pour moi une décharge d'enseignement me permettant de mener à terme la réécriture de ce roman.

Un grand merci à madame la principale, Dyane Adam, qui a accepté leur recommandation.

Je tiens aussi à remercier mes collègues, Jane Couchman et Claude Tatilon, qui ont appuyé ma demande ainsi que denise truax qui m'a aussi guidé dans mon travail.

Merci également à l'Université York qui m'a si généreusement accordé cette bourse.

Et, pour finir, je ne dirai jamais assez tout ce que je dois à Mariel dont les conseils et les encouragements me sont indispensables.

P. K.

Début

Jusqu'à la sexualité, qui flotte aujourd'hui dans une drôle
de dimension interstitielle, ni masculin, ni féminin,
mais quelque chose entre les deux [...]. Plus de définition
sexuelle, donc plus de différence sexuelle à proprement parler.
Le principe d'incertitude est au cœur même
de la vie sexuelle comme de tous les systèmes de valeurs.
Jean Baudrillard, *Le paroxyste indifférent*

La soirée à l'Oasis tirait à sa fin. Certains auraient dit: «s'étirait en longueur». À peu d'exceptions près, les mêmes visages que la veille sirotaient des boissons, dont les glaçons fondaient plus vite que leur ennui, en écoutant une mélodie d'amour à fleur de peau dans un décor fané.

Sam devait encore une fois changer l'air ou, ne le pouvant pas, entrer plus avant dans le monde de l'indéfinissable jusqu'au merveilleux et au fantastique. Mais elle-même, troublée par la révélation qu'Aude lui avait faite plus tôt dans la journée, avait du mal à entrer dans la peau de la conteuse Scheherazade. Debout derrière les rideaux, elle attendait que le spot et le piano l'invitent à monter sur la petite scène du club de l'hôtel Las Palmas. Étaient-elles sœurs, comme le lui avait laissé entendre Aude qu'elle voyait pour la première fois, mais qui la connaissait depuis longtemps? Sam se secoua de la tête aux pieds pour se défaire de cette idée, de toute idée, et n'être plus qu'une source intarissable de contes merveilleux. Légèrement étourdie, elle prit ensuite une profonde respiration qu'elle retint aussi longtemps qu'elle put pour se libérer du hoquet de la réalité, mais elle sentit que, loin d'y arriver, c'était le sentiment de la médiocrité de son existence qui l'avait pénétrée par les narines et qui lui piquait la gorge autant que la fumée sèche.

«Que ça pue! Et que je fais dur dans mon décor *cheap*!»

Les lumières s'éteignirent. Il se fit un silence relatif que le pianiste chassa en tapant quelques notes qui le méritaient bien, mais qui s'en plaignirent. C'était le début d'«Ali Ben Baba», une chanson vaguement arabe, tout juste assez pour donner le ton. L'unique projecteur éclaira la scène. Sam écarta elle-même les rideaux. On l'applaudit sans conviction. Scheherazade monta sur le plateau et leva lentement les bras, ses mains battant l'air comme un moulinet de crécelle, jusqu'à ce qu'ils fussent au-dessus de sa tête. Elle tapa alors des mains une, deux, trois fois. Ses bras se séparèrent ensuite pour tracer, en descendant, des parenthèses, l'une ouverte, l'autre fermée. C'est dans le silence de ce *no man's land* qu'elle annonça que ce soir-là, si on voulait bien l'entendre, elle raconterait l'«Histoire des deux filles du chevrier».

+

Histoire des deux filles du chevrier (début)

Une chevrière donna naissance à une fille à la peau blanche et douce comme le lait.

«Appelons-la Capriana», proposa le chevrier qui n'avait jamais vu une si belle enfant.

Ce jour-là fut jour de fête dans la montagne où l'on mangea deux fois plus de fromage que de coutume. Ce qu'on ne savait pas, c'était que, dans tout le royaume ce même jour, l'on avait pris le deuil, car le roi des Indes avait perdu la princesse que la reine avait mise au monde quelques heures plus tôt. Quand on apprit, peu de temps après les funérailles, que des bergers avaient festoyé dans la montagne, on s'empressa d'en informer le roi pour qu'il se vengeât de l'affront qui lui avait été fait, en enlevant la fille nouveau-née au chevrier et à la chevrière qui n'avaient pas le droit d'être plus heureux que leur souverain. Ce qui fut dit fut fait.

Ce fut ainsi que Capriana échangea sa couche de paille contre des coussins de soie, bourrés de plumes, et la grotte de ses parents contre le palais du roi des Indes.

Un an plus tard, jour pour jour, la chevrière eut une seconde fille qui ressemblait tellement à la première avec sa petite touffe de poils noirs sur la tête qu'elle l'appela, elle aussi, Capriana, mais cette fois-ci, le père et la mère se gardèrent bien de montrer leur joie, de peur que le bruit n'éveillât l'envie du roi.

Les deux filles grandirent dans l'ignorance l'une de l'autre, heureuses de se croire uniques, n'ayant pas à partager avec des frères et des sœurs les caresses et les bienfaits que leur prodiguaient leurs parents. Mais, comme l'on sait, même les paradis ont des portes pour faire entrer le malheur et sortir un bonheur si grand qu'on pourrait le croire sans limite.

La reine vint à mourir, mais, avant d'échapper son dernier soupir, elle fit venir à elle la princesse Capriana pour lui révéler le secret de sa naissance.

«Dès que les flammes du bûcher auront atteint mon corps inerte, fuyez, malheureuse enfant, un roi qui, de père qu'il est pour vous, songera à devenir votre époux, ce qui, croyez-moi, serait beaucoup moins exaltant pour vous qu'il ne tentera de vous le faire croire. Emportez avec vous assez d'or, d'argent et de bijoux pour vous joindre à une caravane qui vous conduira à vos parents naturels. Sortez-les de la misère et installez-vous avec eux, sans ostentation, dans une médiocrité confortable qui leur fera honneur sans vous faire regretter ce palais qui ne vous réserve plus rien de bon.

— *J'entends et j'obéis*[1].»

La reine lui sourit comme le fait une mère quand elle trompe son enfant en lui faisant avaler un remède amer qui ne lui fera aucun bien, si ce n'est qu'il lui donnera le goût de guérir bientôt pour ne pas être forcé de répéter une expérience aussi désagréable. Puis elle fit approcher ses esclaves pour les bénir et les inciter à s'immoler avec elle sur son bûcher, le temps venu.

Capriana sortit à reculons et courut se cacher dans sa chambre où elle pleura, la face enfouie dans ses coussins, jusqu'à ce qu'on lui annonçât la mort de la reine. Après avoir échappé quelques cris de douleur, comme il convient de le faire quand on apprend une aussi triste nouvelle, elle éloigna toutes les curieuses et toutes les pleureuses, ne gardant auprès d'elle que sa confidente qu'elle envoya aussitôt chercher deux costumes de voyage pour hommes qu'elles échangèrent contre leurs toilettes de cour, emportant chacune sur une épaule et au bout d'un bras assez d'or, d'argent et de pierreries pour faire un court voyage et vivre longtemps dans

---

[1] Note de l'auteur: Les passages en italiques, dans les contes et les conversations de Sam, sont empruntés à la traduction que Joseph Charles Mardrus fit des *Mille et une nuits*, parue chez Eugène Fasquelle, de 1899 à 1904 et reprise chez Laffont, en 1983, en 2 volumes.

une médiocrité confortable, comme le lui avait enjoint la reine.

Ce ne fut qu'une fois hors des murs de la capitale du royaume que Capriana vit les flammes du bûcher de la reine s'élever plus haut que la plus haute coupole du palais et qu'elle entendit les cris de ses esclaves qui se sacrifiaient pour la suivre dans l'éternité où elles continueraient de la servir comme de leur vivant.

En regardant la route qui s'étendait devant elle, Capriana se dit que le palais du roi était bien petit et qu'il était temps qu'elle en sortît, ce qui la consola un peu de la mort de la reine qu'elle finirait par prendre pour une bénédiction. Un peu plus loin, elle se retourna une dernière fois pour faire ses adieux à une vie bien douce, adieux qu'elle accompagna d'une larme, ce qui fut remarqué par un marchand de tapis qui y vit une marque d'estime pour la reine que perdait le royaume et qui en fut touché, habitué qu'il était de ne rencontrer, dans son commerce, que des fourbes sans foi ni loi. Il tâterait ce jeune homme, qui aurait pu être son fils s'il en avait eu un, et, s'il cherchait à s'établir, il tenterait de l'associer à son entreprise pour se donner le plaisir de le revoir au retour des voyages qu'il lui ferait faire à sa place, voyages qui le conduiraient de la Chine à la Perse. Mais, avant de le lui proposer, il se donna le temps de l'observer à distance. C'est ainsi qu'il apprit qu'il avait un compagnon de voyage du même âge que lui. Un frère? Un confident? Certainement pas un serviteur, car ils se traitaient en égaux sans familiarité, preuve, s'il en fallait, qu'ils étaient bien nés et que, s'ils étaient sans fortune, ils méritaient d'en avoir.

Dix jours après avoir quitté la capitale, le marchand attacha son chameau pour la nuit près de ceux des deux jeunes gens et entama la conversation en leur offrant de partager son dîner. D'abord réticente, Capriana accepta pour ne pas l'indisposer, se disant qu'en voyage il est bon d'avoir des alliés et de se faire des amis, mais elle l'avertit qu'il serait déçu de sa conversation parce qu'elle avait peu lu, que c'était son premier voyage à l'étranger et qu'elle ne connaissait rien n'ayant rien appris à la maison où ses parents, sous prétexte de la gâter, avaient totalement négligé son éducation. C'était d'ailleurs pourquoi elle les avait quittés. Tout ce discours fut tenu au masculin et dit très vite pour en avoir fini au plus tôt. Le marchand rit de bon cœur, se tourna vers le compagnon de Capriana qui, avant même qu'on le lui demandât, lui dit à peu près les mêmes choses, mais beaucoup moins vite, donnant à chaque parole la valeur de la gravité.

«Nous sommes faits pour nous entendre, déclara le marchand de tapis qui le croyait, car j'ai beaucoup voyagé, j'ai écouté quantité de récits et j'ai travaillé depuis mon enfance, comme apprenti d'abord, puis très tôt en tant que commerçant établi à son propre compte. J'ai atteint aujourd'hui un âge trop avancé pour continuer longtemps seul une entreprise que j'aime beaucoup, mais qui exige de moi des efforts que je ne pourrai bientôt plus fournir.»

De parole en parole, le marchand les attira sous sa tente, leur versa à boire, leur donna à manger et les laissa dormir sans troubler leur sommeil. Durant les jours qui suivirent, il leur apprit quelques secrets de son commerce: dans quelles villes se faisaient les plus beaux tapis, qui étaient les maîtres artisans, quel prix il fallait payer. Capriana ouvrit grand les yeux et les oreilles en écoutant parler pour la première fois de Boukhara, de Tabriz, de Kirman, d'Ispahan et des tapis qu'on y nouait qui, s'ils ne volent pas comme on le dit parfois, ne manquent jamais d'émerveiller. Mais arrivée à la frontière du pays, Capriana, malgré l'envie qu'elle en eut, refusa de traverser les montagnes. Le marchand, qui connaissait trop bien la vie pour tenter de détourner les hommes du cours que leur trace le destin, lui donna plutôt rendez-vous dans un an, à Qum. Capriana ne promit rien, mais lui laissa assez d'espoir pour que, malgré cette incertitude, il s'éloignât d'elle le cœur en fête.

Dans les montagnes vivaient des chevriers. Capriana les alla trouver avec tant de simplicité et de naturel qu'on reçut fort civilement les deux jeunes femmes déguisées en hommes. On égorgea même, en leur honneur, un chevreau qu'on fit mijoter longuement dans le lait de sa mère, assaisonné aux herbes sauvages, et qu'on servit avec du pain azyme et du fromage frais. Chacun voulant raconter son histoire, Capriana et sa confidente durent passer de longues semaines à les écouter le soir. Le jour, elles apprenaient ce que c'était que d'être chevrier. Quand chacun eut parlé, ce fut son tour. Alors Capriana raconta sa naissance et son enlèvement, en omettant toutefois de préciser qu'elle avait été, tout ce temps, élevée comme l'enfant légitime du roi des Indes. On s'apitoya sur son sort, on égorgea la mère du chevreau qu'on fit cuire à la broche après l'avoir écorchée et vidée avant de recoudre dans son ventre creux, son cœur et son foie.

«J'ai déjà entendu parler d'une naissance et d'un enlèvement semblables à ce que vous venez de nous raconter», dit une voix, celle d'un homme qui paraissait très âgé parce qu'il avait le visage raviné par le vent et par le soleil. Il désigna du doigt un point noir dans la nuit:

«C'était par là, à neuf ou dix jours de marche, de l'autre côté de la Vallée des loups.

— Nous partirons demain, dès les premières lueurs», décida Capriana.

Ce qui fut dit fut fait. Les deux femmes descendirent dans la vallée, puis montèrent dans la montagne voisine pour redescendre au fond d'une deuxième vallée semblable à la première. Elles firent alors, sans tarder, l'ascension d'une deuxième montagne semblable à la première. À ce rythme, elles auraient pu atteindre le lieu dit en deux fois moins de temps qu'il leur avait été prédit. Il n'en fut rien. Ce qui les ralentissait, c'étaient, bien sûr, les loups dans les vallées, mais c'étaient surtout les chevriers dans les montagnes qui les fêtaient, bénissant le ciel qui leur avait envoyé des voyageurs qui ne connaissaient pas leur histoire qu'ils se faisaient un plaisir et un point d'honneur de leur raconter dans les moindres détails, chacun croyant que la valeur d'un récit tient à sa longueur, comme une vie.

En un mois, Capriana avait mangé plus de viande de chèvre qu'une louve, et ses petits pieds, à force de suivre les sentiers de montagne, s'étaient tellement racornis qu'on aurait pu croire qu'ils s'étaient transformés en sabots. Mais aux questions qu'elle posait, on donnait toujours la même réponse: on avait entendu parler d'une naissance et d'un enlèvement semblables à ce qu'elle venait de raconter et, si elle voulait en savoir davantage, il lui faudrait d'abord traverser la Vallée des loups et puis marcher de neuf à dix jours «par là».

«Encore un mois, décida Capriana, et, si je n'ai pas retrouvé mes parents, je tiendrai la parole que j'ai donnée au marchand de tapis de le revoir à Qum.

— Mais vous ne lui avez rien promis», rectifia sa confidente.

Capriana, qui n'aimait pas qu'on la reprît même lorsqu'elle était déguisée en homme, promit de punir, le moment venu, l'insolence d'une servante qui se sentait tout permis simplement parce qu'elles avaient beaucoup vécu ensemble.

À la fin du mois, Capriana ayant raconté pour la dernière fois sa naissance et son enlèvement, une femme se leva pour lui déclarer:

«Je connais une chevrière et un chevrier qui, il y a de cela vingt ans, ont eu un enfant, mais, si je me rappelle bien, ce n'était pas un garçon qui serait aujourd'hui un homme comme vous. Non, c'était bien, j'en suis certaine, une fille. Des brigands la leur ont enlevée quelques jours seulement après sa naissance. On ne l'a jamais revue et on n'a jamais plus entendu parler d'elle.

— Où est cet homme et où est cette femme? questionna Capriana d'une voix tremblante.

— Demain, je vous conduirai à leur grotte.»

Ce soir-là, Capriana mangea avec appétit et de la chèvre et du fromage, calculant qu'elle était enfin arrivée au bout de ce régime et qu'elle pourrait même, après avoir établi ses parents dans une médiocrité confortable, se sauver à Qum où l'attendait le marchand de tapis dont la conversation était infiniment plus variée que celle des chevriers qu'elle avait rencontrés.

Au petit matin, Capriana, ses espoirs enfermés dans son silence, suivit la femme qu'elle avait entendu parler la veille et qui, à la lumière du jour, lui paraissait d'un âge incertain, la force de ses jambes démentant les rides du visage. Quand le soleil fut à son plus haut, alors que les chèvres s'étaient couchées à l'ombre sous les arbres où les avaient rejointes les chevreaux qui grimpaient sur leur mère pour se faire des forces et pour s'amuser, la femme montra du doigt un trou noir dans le flanc de la montagne.

«C'est là», dit-elle, laissant Capriana face à son passé et peut-être aussi à son avenir.

La confidente sortit de son sac un rubis de la grosseur d'un bouton de rose pour le remettre à leur guide, mais mit un frein à son geste quand elle sentit peser sur elle le regard désapprobateur de sa maîtresse qui remercia tout bonnement la femme et pria sa confidente de la suivre.

Devant la grotte, à la fois modèle de simplicité et plaie béante, Capriana reconnut sa sœur tant elle lui ressemblait. Voyant cela, elle s'avança, la salua et lui demanda qui elle était.

La jeune Capriana, étonnée de l'indiscrétion de l'étranger, songea à se sauver, mais se ravisa quand elle vit la vieille au loin qui lui faisait des signes rassurants. Elle raconta alors son histoire en peu de mots. Les voyageuses se regardèrent, interdites d'abord, puis toutes deux, entrant *dans un état inimaginable d'émotion et de bouleversement*, se mirent à rire.

«Qui êtes-vous, demanda à son tour la jeune Capriana troublée par l'effet qu'elle avait produit, pour vous réjouir ainsi des malheurs d'une orpheline?

— Notre joie ne vient pas de vos malheurs. Bien au contraire, nous sympathisons de tout cœur avec vous. Si nous nous réjouissons sans retenue et jusqu'à l'indécence, c'est que la reine des Indes nous a envoyées à la recherche de vos parents et que notre mission est accomplie. Le destin, enfin, nous sourit et apprenez qu'il vous sourit également puisqu'il vous réserve un meilleur avenir que celui auquel votre naissance vous a préparée.»

Au cours des heures qui suivirent et jusqu'à tard dans la nuit, l'aînée des Capriana exposa son projet à sa sœur cadette qui ne souleva aucune objection.

À Qum, le marchand de tapis fut le premier au rendez-vous, mais Capriana ne le fit pas longtemps attendre. Toujours déguisée en homme, elle lui apprit que sa proposition, quoique honnête et excellente en tout point, ne l'intéressait plus, mais qu'elle en avait une, à son tour, à lui faire. Elle lui offrait en mariage une femme habituée au travail qui lui serait d'un grand secours dans ses affaires. Le marchand déroula ses tapis et sortit quantité de coussins pour la recevoir, tout en se répétant que personne ne pourrait remplacer dans son cœur celui qui le remplissait depuis près d'un an. Mais, quand il vit la seconde fille du chevrier et de la chevrière, plus jeune et aussi belle que le jeune homme qui la lui présentait, il tomba amoureux d'elle et rapprocha son coussin du sien.

«Avant de vous quitter, proposa l'aînée des Capriana, j'aimerais acheter le plus beau tapis de votre collection, en souvenir de vous qui m'avez beaucoup appris.

— Ce tapis est trop cher, protesta le marchand qui rougit dans sa barbe.

— Montrez-moi ce tapis. Si vous m'avez bien enseigné, je vous dirai ce qu'il vaut, je vous paierai ce prix et vous l'accepterez. Si je me trompe sur sa valeur, c'est que vous m'avez caché l'essentiel de votre métier. Ce sera vous, alors, qui me le paierez, et il vous en coûtera la vie.»

Le marchand ne sourcilla pas, ayant l'habitude de traiter avec des tyrans. Il regarda avec chaleur tous les tapis qui recouvraient la terre battue sous sa tente, sans attirer la convoitise de Capriana qui attendait, avant de se prononcer, qu'il déroulât les autres, ce qu'il fit jusqu'au dernier.

«Vous me cachez votre plus beau tapis.

— Si je vous le vends, avoua le marchand, je suis ruiné.

— Je vous le paierai, vous dis-je.

— Il n'est pas à vendre.»

Capriana saisit son kandjar dont la poignée… dont la poignée en or massif…

Sam n'arrivait pas à terminer sa phrase. *C'est lui!* se dit-elle. Pour se donner le temps de se ressaisir, elle annonça que, voyant apparaître le matin, Scheherazade, discrète, devait se taire, mais qu'elle reprendrait son récit là où elle l'avait laissé, dès qu'il ferait nuit de nouveau, soit dans un quart d'heure ou peu s'en fallait.

Si elle avait des doutes sur les liens de parenté qui l'unissaient à Aude, dont la mère lui avait tout récemment révélé l'existence probable d'une sœur cadette, d'un an plus jeune qu'elle, Sam n'en avait aucun sur l'homme à la moustache fine qu'elle venait d'apercevoir. C'était bien lui. Ses yeux ne mentaient pas. Sa mémoire ne la trompait pas. C'était lui et lui, c'était Jacopo Santorini, l'antiquaire torontois de la rue Queen, à l'ouest de Spadina, dont la boutique, qu'elle avait visitée deux années plus tôt, portait le nom prometteur d'Atlantis. De lui, Sam s'était procuré un couteau au manche d'ivoire usé par les années. «Non pas par des siècles, lui avait-il dit avec assurance, mais par des milliers d'années. Regardez bien les formes effacées qui se laissent quand même deviner encore assez bien.» C'étaient celles d'une déesse aux seins nus tenant un serpent dans chaque main. Sam l'avait toujours. Seulement, depuis, elle s'était laissée convaincre que son antiquité datait plus vraisemblablement du dix-neuvième siècle et que le couteau ne venait pas de la Crète, mais peut-être de la Grèce où l'on faisait, déjà à l'époque, des copies d'objets anciens qu'on vieillissait en les polissant beaucoup.

Après le spectacle, je vais avoir deux mots avec lui, décida Sam qui apporta, ce soir-là, d'autres modifications à son récit pour préparer le coup qu'elle voulait porter à l'antiquaire. Dès que le pianiste frappa sans raison sa dernière note, qui dut lui paraître de trop, Sam reprit l'«Histoire des deux filles du chevrier» au moment où elle avait abandonné sa narration.

✢

Histoire des deux filles du chevrier
(suite et fin)

Capriana saisit son kandjar dont le manche d'ivoire était à l'effigie d'une déesse aux seins nus, tenant un serpent dans chaque main. Le marchand comprit qu'il avait à faire à un prince et qu'il ne lui appartenait pas de lui tenir tête. Alors il roula le dernier tapis, puis l'avant-dernier jusqu'au premier qu'il ne toucha pas.

«Le voici.

— Vous plaisantez? Ce tapis est fait de grosse laine et son dessin est commun.

— Vous le regardez en pensant à son prix. Mettez-vous à ma place. Vous verrez que ce tapis est un jardin céleste, fleuri des fleurs les plus rares, les plus odorantes et les plus douces au toucher.»

Capriana se rapprocha du commerçant, baissa les paupières, essaya de penser à autre chose qu'à la valeur marchande du tapis, rouvrit les yeux et — ô merveille! — vit à ses pieds un jardin si beau qu'il faisait paraître ordinaires ceux du palais du roi des Indes.

«Ce tapis est tel que vous l'avez dit, souffla-t-elle, emportée par un bonheur indicible. Il n'a pas de prix, j'en conviens. Si j'avais un royaume, je vous le donnerais, et vous seriez mal payé. Mais il me le faut et je n'ai que la rançon d'un prince à vous donner. La voici.»

Ce disant, Capriana prit les deux sacs de sa confidente, les vida aux pieds du marchand, puis roula le tapis qu'elle emporta avec elle, laissant le pauvre homme inconsolable pleurer dans les bras de la jeune Capriana qui devint sa femme le soir même et sa veuve dès le matin suivant.

De retour dans la capitale du royaume, Capriana n'eut le temps que de faire une brève toilette pour effacer sur ses traits les fatigues du voyage, avant d'être reçue par le roi des Indes.

«Vous êtes parties l'une et l'autre en emportant deux sacs remplis d'or, d'argent et de pierreries», grogna-t-il lorsque Capriana et sa confidente se jetèrent à ses pieds semblables à *des figues toutes ridées de maturité*, pour les lui baiser comme des reliques, «et si vous ne me les remettez pas aussi pleins qu'ils ne l'étaient à votre départ, je vous ferai trancher la tête avant de jeter vos corps nus aux bêtes pour qu'ils s'en nourrissent.

— Voici les miens, dit aussitôt Capriana, laissant sa confidente, prosternée, dans une situation difficile. «Non seulement le trésor que j'ai emporté est-il intact, mais je l'ai fait fructifier, comme vous verrez si vous me laissez la vie sauve.

— Et toi? demanda le roi, en regardant le bout de son pied gauche.

— C'est que...

— Emmenez-la!» ordonna-t-il.

Il se fit dans la salle du trône assez de silence pour entendre les supplications inutiles de la confidente qui emportait avec elle les secrets de sa maîtresse.

«Capriana, reprit le roi des Indes sur un ton plus conciliant, j'ai observé le deuil un an. La reine valait cette épreuve. Mais vous valez infiniment plus qu'elle et vous avez voyagé. Voulez-vous devenir ma femme et me raconter *des histoires admirables pour me distraire et me faire prendre patience*?

— Sire, je serai votre épouse, puisque vous le désirez et que le destin, qu'il ne sert à rien de tenter de déjouer, l'a voulu ainsi. Et tant que vous me le demanderez, je vous raconterai volontiers tout ce que j'ai vu de merveilleux et d'extraordinaire.»

✢

Sam fit un signe dans la direction de l'éclairagiste qui, n'étant pas à son poste, ne vit rien et ne fit rien, laissant au pianiste le soin de souligner seul, par un coda à sa façon, soit tout en notes noires, que le spectacle était terminé.

«Vous racontez bien», lui dit Aude qui lui fermait le passage sans se rendre compte que chaque minute comptait pour Sam et que ce n'était vraiment pas le moment de lui faire des compliments.

«C'est mon métier, coupa Sam brusquement pour se dégager.

— Les deux Capriana, insista Aude, c'est un peu nous autres?

— Hein? Oui, peut-être, résuma-t-elle hâtivement, en suivant des yeux Santorini qui sortait du club et qui disparut.

— C'était improvisé alors?

— Euh... Oui, en partie.

— Vous m'avez fait rire et pleurer.

— À la fois? Quel âge avez-vous?

— Vingt-sept ans.

— Est-ce possible...»

Sam n'avoua pas qu'elle en avait un de moins.

«Ce qui était invraisemblable, dans votre conte, c'était que la première Capriana se fasse passer pour un homme et qu'elle trompe tout le monde.
— C'est à moi que vous dites cela?
— Oh vous!»

Aude, qui l'avait remarquée cinq ans plus tôt à l'École nationale de théâtre dans une pièce de Ghelderode, qui l'avait ensuite revue sur des scènes professionnelles, ressentant chaque fois un petit serrement au cœur qu'elle n'était pas arrivée à s'expliquer avant la veille de son départ pour les Bahamas alors que sa mère lui avait parlé d'une sœur qu'elle avait eue et qui avait disparu, riait maintenant d'un rire beaucoup plus jeune que son âge, en pensant que Sam pouvait être cette sœur.

«C'est le destin qui nous a réunies», professa-t-elle, parce que c'était la phrase qu'elle berçait dans sa tête depuis qu'elle l'avait reconnue dans la salle à manger de l'hôtel et qu'elle s'était décidée à lui parler.

«On en reparlera», conclut Sam qui se faisait une autre idée du destin. Aussi lui souhaita-t-elle le bonsoir, avant de lui révéler par mégarde ou faiblesse, ce qu'elle jugeait préférable de ne pas dévoiler pour l'instant.

Après avoir donné son numéro, Sam, qui se faisait passer dans sa vie d'artiste professionnelle pour un travesti, mais qui, comme le savait Aude, était en réalité bel et bien une femme, ce qui donnait de la profondeur à son personnage ambigu, celui de la conteuse libertine Scheherazade, aimait s'asseoir au bar de l'Oasis, échanger des banalités avec un client, de préférence une cliente, seule, qui ne serait pas mal à l'aise d'être vue avec un travesti portant un *ample voile en soie parsemée de paillettes d'or et doublée de brocart,* qui, sans les spots et loin de la petite scène, avait l'air d'un monstre de nuit qu'attirent les éclairages discrets, tamisés par des rideaux de fumée.

Ce soir-là, elle remarqua que sa voisine de tabouret profitait du miroir derrière le bar pour épier, sans qu'il y paraisse, le portier qui se grattait le sexe, sans gêne, par désœuvrement.

«Vous lui donneriez quoi? demanda Sam pour lancer la conversation.

— Tout ce qu'il voudrait, répondit la jeune femme aux cheveux aux plumes bicolores bleues et jaunes dont la convoitise se dessinait sur les lèvres rouge sang.

— Je veux dire: son âge. Dix-huit ans?

— Peut-être. Chose certaine, le fruit est mûr.»

Sam se retourna pour mieux voir le jeune Antillais qui l'aperçut et lui rendit son sourire.

«Avec lui, vous ne risquez pas d'être déçue: il aime les femmes. S'il vous intéresse, vous n'avez qu'à lui faire signe.

— Aussi simple que cela.

— Ted...

— C'est son nom?

— Je n'en sais rien, mais c'est ainsi qu'on

l'appelle ici. Lui demander son vrai nom, cela ferait, comment dirais-je? enquête policière: «Carte d'identité, s'il vous plaît!» Vous voyez ce que je veux dire? Ted est un bon garçon: il est gentil, il ne fait pas de manières. Il n'en a pas les moyens. L'hôtel ne lui donne pas de salaire, parce que le travail qu'il fait ne rapporte pas. C'est une décoration. Un pot de fleurs. On le nourrit — j'allais dire: on l'arrose — on le place à l'ombre et c'est à lui de se débrouiller pour profiter de sa situation. Sans instruction, tout ce qu'il peut faire, c'est ce qui ne s'apprend pas sur les bancs d'école, soit le coq.

— Le coq?

— *Comment! vous ne connaissez pas le métier du coq? Le métier du coq est de manger, de boire et de copuler*, récita Sam. Or, Ted peut, à l'hôtel, manger et boire tout son soûl, ce qui est une façon de parler puisqu'on lui interdit l'alcool. Il pourrait, à ce régime, prétend le gérant, devenir en peu de temps *extrêmement gras et à la limite dernière de l'embonpoint*, mais son jeune âge, la discipline et l'exercice ont raison des calories.

— J'y penserai.

— Vous passez la semaine ici?

— Presque. Je pars samedi.»

L'Oasis s'était vidée. Le pianiste tapait toujours, les blanches plus fort que les noires. C'était sa façon à lui de régler la note, mais à ce compte le jazz y perdait. Baba, de son vrai nom

Barbara, eut pitié de la musique, glissa de son tabouret, leva les yeux au ciel en guise d'adieu à Sam, puis sortit sans regarder Ted qui perdait, avec elle, son dernier espoir de la soirée. Sam lui donna le temps de disparaître avant de faire comme elle, sans donner l'impression de la suivre.

Sa chambre l'attendait. Une cellule de célibataire : plancher de *terrazzo*, draps froids. *Les grotesques comme moi,* pensa-t-elle, *amusent le public, comme les crapauds, les enfants, sauf que personne ne veut les toucher.* Nue, sans perruque, elle se regarda dans le miroir qui recouvrait le pan de mur au-dessus du lavabo et ce qu'elle vit lui parut indéfinissable. Plus grande que la moyenne, les cheveux courts, plaqués à la garçonne comme cela avait été une première fois à la mode au cours des années vingt, les épaules et les hanches étroites, la poitrine plate, la taille mince, elle-même aurait pu se méprendre sur son sexe. Sous la douche, l'eau chaude prenant du temps à venir, elle eut la chair de poule, ce qui la défigura davantage à ses yeux. Elle se savonna vigoureusement pour que les bulles emportent Aude et la mère qu'elles avaient peut-être en commun, cette mère qu'elle jugeait, à l'heure présente, dénaturée parce qu'elle l'avait abandonnée à sa naissance. Puis une fois couchée, elle se fit croire qu'il ne restait de Scheherazade qu'un parfum doux comme celui d'une fleur tropicale. Alors, elle écarta les bras et les jambes comme des pétales, s'ouvrit à la nuit tiède et attendit que le rêve s'empare d'elle et la séduise, en lui racontant une de ces histoires qu'on voudrait tant qu'elle ne soit pas tout à fait une illusion.

Le sommeil ne venant pas, Sam se leva, téléphona à la réception, demanda quelle chambre occupait Santorini, dut répéter le nom, puis l'épeler, se rhabilla en vitesse, alla frapper à sa porte.

L'antiquaire, qui portait toujours son complet crème, la reçut comme s'ils s'étaient donné rendez-vous, ce qui prit Sam par surprise. Sa colère tomba aussitôt, ses accusations se firent molles, la scène qu'elle avait préparée s'affadit comme une infusion de camomille. Comme il ne disait rien, Sam se mit à sa place, lui fournit les excuses qu'il aurait pu inventer:

«Un antiquaire n'est pas tenu de connaître la provenance de tout ce qu'il vend. La question de l'authenticité est toujours délicate... Même les spécialistes se trompent.»

C'était à peine si l'antiquaire, qui avait abandonné, depuis, un commerce peu lucratif dans une ville où plus de la moitié des habitants a quitté l'Afrique, l'Asie et l'Europe pour se mettre à l'heure de l'Amérique, écoutait Sam qui se donnait la réplique comme si elle parlait devant un miroir.

«Vous êtes malheureuse, finit-il par dire en lui souriant, parce que vous croyez que je vous ai roulée. Ne protestez pas. J'ai compris. Alors voici: remettez-moi le poignard et je vous rends l'argent. Qu'on n'en parle plus. C'était combien?»

✢

Le mardi, l'agent de voyage de Caribbean Adventures dont le bureau, identifié par une pancarte plastifiée, se réduisait à une table sans tiroir dans le hall de l'hôtel Las Palmas, à Treasure Cay, réservait des bus qui assuraient la navette entre l'hôtel et le port où l'on pouvait prendre le ferry-boat qui s'arrêtait à plusieurs îles dont Green Turtle Cay qu'il recommandait. Comme il y a peu à faire et à voir dans l'île, la plupart des vacanciers étaient ordinairement de l'excursion. Cette semaine-là, la saison tirant à sa fin et les chambres n'étant pas toutes prises, un seul bus quitta le terrain de l'hôtel à 8 h 30 pour le port. Quinze minutes: c'était tout ce qu'il fallait pour s'y rendre, la route sablonneuse de Little Abaco, si l'on en juge selon les critères des Îles, étant bien entretenue, ce qui n'exclut pas les irrégularités de terrain qu'un chauffeur habile peut contourner.

À cette heure matinale, Sam dormait. Elle avait visité Green Turtle Cay lors de son premier séjour dans l'île, se rappelait ses rues de ciment étroites mais tranquilles, vu le petit nombre de voitures qui y circulent, ses maisons coquettes, en bois, aux couleurs vives, la plupart fraîchement peintes, le Blue Bee Bar aux murs tapissés de cartes de visite, le cimetière marin, l'école au haut d'une colline, les boutiques moins intéressantes que leurs propriétaires qui accueillent les curieux en amis. Même si elle n'avait pas envie d'y retourner, Green Turtle Cay lui avait paru une île riante malgré les deux canons pointés en direction des bateaux qui l'accostent.

Vers les 10 h, deux Américaines qui jouissaient de leur veuvage comme des jeunes filles enfin sorties du couvent, un homme tout près de la quarantaine, les sourcils épilés dessinant un arc légèrement arrondi, la moustache fine, les épaules et les hanches étroites, trois couples sexagénaires, deux jeunes filles qui auraient voulu paraître sophistiquées, mais qui riaient tout le temps comme si elles se faisaient des chatouilles, un matelot en uniforme, un jeune père et son fils se tenant par la main, les deux inconsolables de la présence de l'autre, et trois dames qui ne se connaissaient pas il y avait deux heures, mais que le voyage sur mer avait rendu inséparables, débarquèrent sous un soleil sans merci qui s'attaquait joyeusement à toutes ces chairs blanches.

Comme il n'y a qu'une route qui mène au quai, le petit groupe avança dans la même direction, à l'assaut de l'île. En peu de temps, toutefois, les uns marchant plus vite que les autres, le bataillon finit par se dissoudre dans le décor. Les Américaines entrèrent chez le dépanneur: elles voulaient une glace. Tout ce que demandait le petit garçon, son père le lui interdisait en justifiant ses refus. Exacerbé, l'enfant se mit à geindre, ce qui chagrina quelques dames qui se rappelèrent avoir laissé au pays des petits-enfants pour qui elles se mirent aussitôt à la recherche de cadeaux. On voyait des hommes et des femmes entrer et sortir des boutiques. L'homme à la moustache fine avait disparu; les deux filles aussi, mais on entendait fuser ici et là leurs rires distinctifs. À l'heure du déjeuner, les quatre restaurants se partagèrent cette maigre clientèle.

À 17 h 30, le bateau devait quitter l'île. L'air devenu insupportablement chaud depuis que la brise était tombée, la fatigue d'une promenade qui avait duré sept heures, le soleil excessif que la mer rendait par surcroît aveuglant, tout fit qu'on se retrouva sur le quai bien avant l'heure du départ. Les sujets de conversation étaient, semble-t-il, épuisés; on n'avait même plus le goût de rire. Voyant qu'elles en avaient le temps, les Américaines retournèrent chez le dépanneur se choisir une dernière glace. Quand elles revinrent, ce qui les frappa, ce fut le silence. Elles y goûtèrent, puis s'en inquiétèrent, car ce qui manquait plus que tout, c'était le rire des deux jeunes filles. Le bateau partit sans elles.

+

Rena et Cari avaient découvert l'école de l'île, un édifice sans dignité, ouvert à tous les vents, désert à cette heure. Elles y étaient entrées à cause de l'ombre et pour le plaisir de dénigrer, ne pouvant pas croire qu'on puisse apprendre quoi que ce soit d'utile là où il n'y avait qu'un tableau noir, quelques bouts de craie blanche et des livres à la couverture défraîchie. À force de répéter: «C'est-y pas effrayant!» elles avaient fini par s'endormir, en riant, sur des bancs d'écoliers de la salle de classe des grands. Quand elles se réveillèrent, elles ne virent pas à leurs montres que, si elles ne retournaient pas aussitôt sur leurs pas, elles risquaient de rater le bateau qui devait partir à 17 h 30, ce qu'elles avaient traduit par *7:30 p. m.*, et qu'il leur faudrait louer une chambre à Green Turtle Cay où il n'y a qu'une auberge rustique qui se prend pour un petit hôtel de grand luxe.

Comme elles croyaient avoir encore plus de trois heures devant elles et qu'elles se trouvaient sur la colline la plus haute de l'île, elles décidèrent d'en faire le tour. Ce qu'elles virent sur une plage isolée leur fit ouvrir tout grands les yeux.

«Des nudistes!» s'écria Rena qui sortit son

appareil, dévissa la lentille, qu'elle remplaça par un téléobjectif, et prit une, deux, trois photos avant de le passer à Cari qui voulait voir aussi.

«*Wow! What a hunk!*

— Passe-moi ça.»

Rena reprit l'appareil (photo). Appuyée sur un coude, ce qui devait être une femme aux épaules et aux hanches étroites (photo) regardait un homme aux cheveux noirs, bouclés, qui leur parut resplendissant de promesses de félicité (photo). En faisant avancer la pellicule, elle bougea de telle sorte que le reflet du soleil sur la lentille éclaira le visage du nu couché qui leva la main (photo). Rena, qui ne cessait de photographier la scène, remarqua qu'on pointait dans sa direction (photo).

«On nous a vues! s'exclama-t-elle.

— Et nous aussi, on les a vus.

— Fais pas l'idiote.

— Idiote, moi? Ah!»

Pour lui montrer qu'elle n'avait pas à avoir honte de sortir de sa cachette, Cari se leva tout à fait et fit de grands gestes dans la direction des jeunes gens.

«Es-tu folle?»

Cari, plus excitée que jamais, se remit à rire:

«S'il y en a deux, il y en a d'autres. *Come on, let's join the fun!* Es-tu *game*?»

Rena se mit une main devant le visage pour cacher sa honte, mais, comme à la vérité, elle n'en éprouvait aucune, elle la baissa aussitôt.

«*Let's go*!» consentit-elle sans réfléchir et parce qu'elle en avait, elle aussi, terriblement envie à cause du soleil, de la chaleur, des herbes parfumées, des fleurs aux couleurs criardes, de la mer qui massait l'île en respirant très fort.

Dix minutes plus tard, le sentier qu'elles avaient pris en courant débouchait sur une plage qui leur parut celle de tantôt où elles crurent reconnaître à sa chevelure le jeune homme étendu sur le côté qui leur tournait le dos. Comme il était nu, Rena et Cari décidèrent de se mettre dans la même tenue pour se faire passer pour naturistes et ne pas être mises immédiatement à la porte du camp.

«*Hello...*» chanta alors Rena, comme une sirène, pour attirer l'attention de l'homme qui devait être un matelot, à en juger par l'uniforme qu'il avait roulé pour s'en faire un coussin.

Comme il ne réagissait pas, elle s'approcha davantage de lui.

«*Playing dead?*

— Où est passé l'autre?» demanda Cari qui n'arrivait plus à rire, qui se mettait à réfléchir, qui se sentait toute nue comme Ève après la faute. «Je n'aime pas cela. Rena, allons-nous-en.»

Rena recula par précaution car elle sentait, à son tour, qu'on lui tendait un piège. Mais, comme il ne se passait toujours rien, elle fit un grand cercle pour se placer devant le jeune homme.

«*Holy shit! Holy shit! Holy shit!*

— Qu'est-ce qu'il y a?

— *Oh my God!*»

Cari se mit à crier par excès d'imagination.

«Il est mort hein? Il est mort?

— À coups de couteau. *God knows how many times. The face... the face...*»

Les yeux étaient crevés. Un trait rouge soulignait le menton à la hauteur du cou. Le nez avait été coupé. Deux crabes gris se disputaient déjà la chair sanguinolente qu'ils arrachaient de l'os à petites pincées.

«Celui qui a fait ça...

— C'était une femme. On l'a vue, Rena. C'était une femme!

— Une femme n'aurait jamais fait ça.»

Cari, qui n'était pas de cet avis, fit la moue.

«Femme ou homme, concéda Rena, le type qui a filé ne doit pas être très rassuré d'avoir été vu par nous, surtout qu'il doit savoir que je l'ai photographié...

— C'est vrai: tu as des preuves.

— Oui, mais de quoi?»

Ce soir-là, Rena ouvrit son appareil et remit le film à Cari.

«C'est plus sûr comme ça.

— Pour qui?»

L'inquiétude partagée ne calma personne, mais, comme le danger n'était pas immédiat, Rena et Cari se mirent au lit et s'endormirent aussitôt. Rena rêva qu'elle se faisait enlever par un corsaire aux cheveux noirs, bouclés, et à la poitrine dure et chaude comme celle d'un Christ en croix taillé dans un tronc de pin noueux, amoureusement poli au papier de verre. «Ponce Pirate», marmonna-t-elle, en se frottant les mains. Loin de songer à défendre ce qu'il pouvait lui rester de vertu en se débattant dans ce tableau de la passion, elle ne pensait qu'à son bâton de rouge à lèvres qu'elle cherchait désespérément au fond d'une noix de coco qui lui pendait au cou. Quel ne fut pas son étonnement quand elle reconnut son père qui offrait un panier de coquilles et des chapeaux de paille au corsaire en échange de sa fille. Elle cria: «Non, non! Ne faites pas cela!» prière qu'elle adressait à son père, qui se portait à son secours, et au corsaire qui partait avec la rançon. Ce sont ses cris, articulés dans le rêve, pâteux dans la réalité, qui la firent passer d'un état à l'autre.

«Ce que ça peut être fou, un rêve!»

Dans le lit jumeau, qu'une table de chevet fixée au mur séparait du sien, Cari haletait. Rena se dit qu'elle devait, comme elle, faire un mauvais rêve. Aussi se garda-t-elle de l'en sortir, pour la punir de sa sottise. Cette situation la raccorda avec l'idée qu'elle se faisait du destin et, se voyant vengée sans avoir eu à intervenir, elle s'étendit de nouveau, après une brève visite à la salle de bains, gardant les yeux ouverts aussi longtemps qu'elle put sur Cari qui s'agitait de plus en plus.

+

Sam avait eu une journée comme elle ne les aimait pas, vécue dans les brumes de l'indécision, des regrets et des remords. Depuis que l'antiquaire lui avait remis le plein montant qu'elle lui avait réclamé, le poignard qu'elle lui avait rendu lui manquait. Authentique ou non, c'était une belle pièce. Et puis, il ne lui avait pas coûté tellement cher, se dit-elle, en comptant les billets qu'elle tenait dans ses mains, qu'elle posa sur la table, qu'elle ajouta aux autres dans sa bourse. Dans les boutiques des musées, c'est le prix qu'on demanderait pour un article semblable, si c'était une copie. Alors de quoi se plaignait-elle? N'était-ce pas bizarre aussi que l'antiquaire reprenne aussi allègrement l'objet qu'on lui avait dit être un faux? Et si le manche était vraiment de la Crète et qu'il remontait à l'époque minoenne? Étaient-ils des experts ceux qui avaient semé le doute dans son esprit? Allez-y voir! Qu'en savaient-ils? N'étaient-ils pas plutôt jaloux? *Pourquoi est-ce que tout ce que j'ai serait automatiquement* cheap, *sans exception? Si, une fois dans ma vie, j'avais fait un bon coup? Si ce que j'avais choisi faisait preuve de goût?* Plus elle y pensait, plus elle se disait qu'elle n'aurait jamais dû remettre le poignard à Santorini. Accepterait-il maintenant de le lui revendre? *Que j'ai été folle! Que j'ai été folle! Il va me demander le double, pour sûr, et je l'aurai mérité. Je l'ai presque traité de voleur. Je lui ai certainement laissé entendre qu'il ne connaissait pas son métier. Ça se paie des insultes de même. Il ne voudra même pas me revoir.*

La journée y avait passé.

Quand elle l'aperçut, à l'heure du dîner, elle se précipita sur lui:

«Vous allez dire que je suis une vraie tête de linotte, monsieur Santorini, et vous aurez raison. Mais le couteau...

— Le couteau?

— Oui, enfin, le poignard que je vous ai rapporté hier. Vous vous rappelez?»

Santorini ne répondit rien.

Il me fait niaiser. Là, je comprends ce que ça veut dire «être dans ses petits souliers». Maudit que ça fait mal!

«Vous n'avez tout de même pas oublié?

— Je n'oublie jamais une bonne affaire.»

Il y a des gaffes qui coûtent plus cher que d'autres. Les miennes, par exemple.

«Eh bien, justement, je considère que ce n'en était pas une pour moi.

— Vous voulez plus d'argent? Combien?

— Ce que je veux, pour dire le vrai, c'est le poignard.

— Vraiment?

— Je ne pense qu'à cela depuis que je ne l'ai plus.

— Alors vous voulez ravoir le poignard?

— Je le veux tellement que je suis prête à

vous offrir le double du prix.

— Le double?»

Santorini eut un sourire qu'il effaça aussitôt.

«C'est une belle pièce, mais vous avez problablement raison: c'est peut-être un faux. Je ne sais plus. J'avais cru le contraire, mais, comme vous me l'avez souligné hier, qu'est-ce que j'en sais? Je ne suis qu'un marchand de bric-à-brac.

— J'ai dit cela, moi? J'ai dit cela? Je ne me rappelle pas, mentait Sam qui sentait les petits souliers lui broyer les os.

— Si, si, confirma l'antiquaire.

— J'ai exagéré. Chose certaine, ce n'est pas ce que j'ai voulu dire.»

La conversation dura au moins une demi-heure. L'antiquaire finit par céder. Sam, qui tout ce temps transpirait déjà beaucoup, fondit en remerciements, puis emporta son trésor qui venait de lui coûter deux fois plus que la première fois, résolue dorénavant de mourir plutôt que de s'en défaire, et cela à n'importe quel prix. *J'ai enfin quelque chose de réellement beau et d'unique, comme les femmes chic qui ont beaucoup d'argent. Sam, aujourd'hui commence une nouvelle vie pour toi.* C'était le ravissement.

+

Quand, au petit déjeuner, Rena demanda sournoisement à Cari si elle avait fait de beaux rêves, l'autre lui répondit que, si elle en avait fait, elle les avait oubliés, qu'il en était presque toujours ainsi, ce qui faisait qu'elle se demandait parfois s'il lui arrivait de rêver comme tout le monde. Rena se reprocha de ne pas l'avoir réveillée, car elle aurait bien aimé savoir si c'était le cadavre de la veille, qu'elle confondait ce matin à une foule d'images télédiffusées de victimes défigurées jusqu'à en être méconnaissables, qui lui était alors apparu en songe.

«Moi, j'ai rêvé qu'un beau corsaire m'enlevait, lui confia-t-elle, pour effacer, en parlant d'autre chose, les dernières traces de ce qui lui paraissait maintenant n'avoir été qu'un cauchemar.

— Et moi?

— *Sorry pal,* tu ne figurais pas dans le décor. Il n'y avait de place que pour nous deux sur mon petit écran.

— On sait bien.»

Rena omit de dire que le scénario s'était terminé sur un *pater ex machina* de fort mauvais goût. Elle rit plutôt, de façon ambiguë, et son rire contagieux gagna Cari qui rit comme elle, rêvant à son tour qu'un pirate à la peau noire tentait de l'humilier bassement par ses exigences, mais en vain car elle allait toujours au delà de sa sombre imagination. L'action se précisant dans son esprit, elle en fit le récit à Rena qui l'arrêta en protestant:

«C'est pas un rêve; c'est un fantasme. C'est à Ted que tu penses?»

C'était à lui, en effet.

«Un fruit tropical en saison, approuva Rena.

— Même pas obligée de me pencher pour le ramasser», ajouta Cari.

De penser ainsi à Ted la mit en appétit. Cela tombait bien. Elles avaient toute la journée devant elles et il n'y avait rien à faire autre que manger et boire, ce qu'elles firent jusqu'à 16 h 30, pas une minute de plus, car elles tenaient à être sur le ferry-boat qui les ramènerait à Little Abaco.

+

Tout l'hôtel, ce soir-là, semblait s'être donné rendez-vous à l'Oasis pour y écouter Scheherazade raconter ses petits contes libertins où des héros, géants de stature, pleurent comme des enfants aux pieds de princesses inexorables qui mettent leur patience à rude épreuve avant de leur accorder des caresses indescriptibles qu'elles font durer des jours, des semaines, des mois et parfois même des années.

Rena reconnut à la table voisine de la sienne l'homme à la moustache fine. Mais, comme Santorini ne faisait attention ni à elle ni à Cari, les deux jeunes filles n'eurent plus d'yeux que pour Ted, même si elles écoutaient des deux oreilles Sam leur raconter des nuits d'amour qui commençaient par un léger goûter composé de poulets rôtis, de *raisins secs, macérés, puis sublimés et parfumés discrètement à la rose, de baklawa artistement feuilletée et divisée en losanges, de kataïefs au sirop bien lié*, de figues, de cédrats, de limons, de raisins frais et de bananes, le tout abondamment arrosé de vin, et qui se terminait dans des nuées de pétales de roses dont le parfum capiteux se mêlait intimement à ceux de la passion sans cesse renouvelée.

Sam, qui, depuis quelques jours, avait tissé des liens de sympathie avec plusieurs membres de son auditoire, les resserra en se promenant dans la salle, s'arrêtant brièvement aux tables où l'accueillait un sourire bienveillant qu'elle cultivait en le rendant. À la fin de son numéro, apprécié au delà même de ses calculs, elle quitta la petite scène, où elle était retournée, comme un fruit tombe d'un plateau surchargé et, sans s'arrêter au bar où elle avait aperçu Aude qui l'attendait sans doute avec ses histoires de famille, elle se sauva plutôt dans sa chambre méditer sur des amours qu'elle ne connaîtrait jamais que par Mardrus dont elle lisait la version scandaleuse des *Mille et une nuits*, se donnant la douleur perverse de ne pas aller plus vite que Scheherazade qui ne déversait dans l'oreille de Schariar que quelques bribes de conte par nuit d'insomnie. À ce rythme, les deux gros volumes qu'elle trimballait avec elle depuis un an pourraient lui durer deux autres années, après quoi elle s'attaquerait à d'autres versions de ces contes fabuleux dont elle ne se fatiguait pas tant ils sont multiples, leur variété tenant de l'imagination intarissable des Arabes, mais aussi de leurs traducteurs qui surenchérissent en y mettant leur passion, leur culture et leur sagesse que rajeunit le sens de l'humour propre à chacun.

Comme le costume de la sultane lui collait à la peau, elle s'en séparait toujours difficilement. Et, quand à la fin elle retirait le faux brillant de son nombril, c'était, lui semblait-il malgré les applaudissements et le succès remporté, une écorchée vive qui se mettait sous la douche dont l'eau, toujours froide au début, l'attaquait à coups de clous d'acier. Les serviettes javelées lui parurent trop communes pour éponger une peau aussi transparente et douce que celle de la sultane. Alors elle attendit, debout sur la descente de bain, que l'air fouetté par le climatiseur l'assèche de la tête aux pieds. Et, pour ne pas que le miroir lui renvoie une image si contraire à celle qu'elle avait, sublime, dans son esprit, elle éteignit et sentit aussitôt, dans la noirceur, dix esclaves femelles et dix esclaves mâles aux joues trop tendres encore pour connaître les injures d'une barbe, souffler sur elle leur haleine chaude jusqu'à ce que disparaisse sur ses hanches la dernière goutte d'eau parfumée.

Qu'il lui était difficile de quitter le hammam de Bagdad, *la Ville de paix*! Et comme Little Abaco, vue de sa chambre du premier dont la porte-fenêtre donnait sur les toilettes derrière le kiosque à musique près de la piscine, lui paraissait factice! Une île tropicale «améliorée» avec ses palmiers royaux groupés par deux, ses sentiers battus, sa musique latino-américaine, ses boissons aux jus de fruits et au rhum importés servies dans des verres en plastique *Made in Taïwan*, ses serviettes de plage *Donald Duck*! Elle se prit à penser que tout ce que bombardaient les Américains était justement ce qu'il aurait fallu sauver et que, pour bien faire, il aurait fallu détruire ce qu'ils prisaient.

Ce qui adoucit sa soudaine amertume, ce fut la lune qui lui souriait. Alors, sans se donner la peine de mettre quoi que ce soit sur ses épaules, elle écarta davantage les rideaux pour lui rendre son large sourire. Dans un même temps, la lune sauta dans son lit avec une telle impudeur que Sam en oublia sa solitude. Mais, comme elle allait la rejoindre, elle vit Ted qu'embrassait furieusement une des deux jeunes filles qu'elle avait remarquées plus tôt, à l'Oasis, parce qu'elles riaient beaucoup et fort. La passion des autres étant ce dont elle se nourrissait, Sam tourna l'unique fauteuil de sa chambre vers la porte-fenêtre, s'y assit et regarda:

C'est à mon tour d'être au spectacle.

Et c'en était un. Muet, mais assez explicite pour qu'on ne se méprenne pas sur l'intrigue qui se nouait. L'aurait-on fait que la suite aurait dissipé toute incertitude. La jeune fille prit Ted fermement par la main et l'entraîna vers les toilettes où les deux disparurent, absorbés par un rayon de lumière.

Excités comme ils le sont, le troisième acte ne sera pas long.

Sam se trompait. *Bizarre,* pensa-t-elle, *à cet âge et après de tels préliminaires, on est ordinairement plus vite que cela en affaire.* Cela lui parut, de fait, si étrange, que, sans rallumer, elle mit sa djellaba, glissa ses pieds dans ses sandales et quitta sa chambre, après avoir jeté un dernier coup d'œil dans la direction des toilettes derrière le kiosque à musique.

En descendant l'escalier, elle aperçut Ted qui traversait le hall comme un renard qui quitte un poulailler. Pour se donner une contenance et justifier sa présence dans cet accoutrement à une heure aussi tardive, Sam échangea des points de vue avec le réceptionniste qui trouvait la nuit longue et ne demandait pas mieux que de partager ses opinions avec elle. Le temps passa. Santorini entra et, sans ralentir sa marche, salua les causeurs d'un coup de tête sec mais poli. Sam avait maintenant des distractions; elle rendait mal la réplique, ne se souvenait plus de son rôle. Que faisait-elle là? Qu'attendait-elle pour retrouver sa chambre? Soudain une chose la frappa: deux hommes étaient entrés dans l'hôtel, mais non pas la jeune fille qu'elle savait pourtant dehors. Elle s'excusa, dit vouloir prendre un peu d'air avant de «*call it a day*» et sortit ostensiblement dans la direction de la piscine, mais, dès qu'elle crut qu'on ne pouvait plus la surveiller, elle emprunta le sentier qui menait aux W. C.

De quoi je me mêle? chicana-t-elle. Et, pour se donner de l'importance, elle répondit: *D'un drame passionnel,* mais sans y croire.

Deux coups à la porte.

«C'est le Petit Chaperon rouge», annonça-t-elle, en baissant le capuchon de sa djellaba pour qu'on ne la prenne pas pour un méchant loup.

Elle n'eut qu'à pousser la porte pour l'ouvrir.

«Allô? Ce n'est que moi.»

Devant elle, sur le plancher, gisait le cadavre de Rena, dont les bras et les jambes formaient une molle croix gammée. La jupe était relevée; le slip, déchiré. Le cou portait la marque d'une corde ou d'un lacet. Étranglée. Sam fut d'abord étonnée de ne pas ressentir le choc auquel elle avait droit à s'attendre. Pas même de haut-le-cœur. Elle jeta un rapide coup d'œil tout autour, ne vit rien, sortit sans rien toucher, laissant la porte se refermer derrière elle.

Suite

[...] j'aimais mieux la fiction que les jours quotidiens.
Gabrielle Roy, *Rue Deschambault*

La première dame à apercevoir le cadavre de Rena, le lendemain matin, se dit qu'elle devait faire quelque chose et ferma la porte. La deuxième, qui était aussi une dame seule, âgée, se rappela l'avoir vue et surtout entendue sur le bateau les menant à Green Turtle Cay. Après s'être signée, elle passa sa serviette de bain sur la poignée de la porte pour en effacer ses empreintes et retraça ses pas, ayant oublié ce qu'elle était venue faire là. La troisième échappa un cri que recueillit son mari tout près, s'approcha de Rena pour s'assurer de la gravité de la situation, frotta les poignées intérieure et extérieure de la porte pour ne pas être mêlée à une histoire sordide et raconta l'incident à son mari qui le rapporta à la réceptionniste de jour, sans révéler la source de ses renseignements.

La police arriva alors qu'il n'y avait pratiquement personne sur le terrain de l'hôtel, la plupart des vacanciers étant retournés à leur chambre se préparer à passer la journée à Treasure Island.

«La jeune fille a été violée, résuma Baba qui avait suivi l'enquête des policiers, et tuée par son ravisseur.

— Comment est-elle morte? demanda Sam qui faisait semblant de tout ignorer pour mieux se renseigner.

— Étranglée avec une corde.

— On a retrouvé l'arme du crime?»

Baba se mit à rire.

«Vous parlez comme un personnage de roman policier des années cinquante.

— Que dirait-on aujourd'hui?

— Je ne sais pas, mais sûrement pas ça.

— Alors la corde? On l'a ou on ne l'a pas?

— Est-ce si important?

— Trouvez la corde, vous trouverez l'assassin, pendu peut-être.

— Non, mais...

— Chut! Voici sa copine.»

Cari s'étendit sur une chaise longue de l'autre côté de la piscine, à l'ombre d'un parasol de palmes. Elle ferma lentement les yeux puis les rouvrit soudainement, en lutte contre le sommeil. Ils se refermèrent de nouveau, malgré elle, et ce ne fut qu'après un effort surhumain qu'elle réussit à les rouvrir. Voyant cela, Sam quitta sa chaise et vint s'asseoir près d'elle.

«Vous n'arrivez pas à dormir et pourtant vos paupières sont lourdes de sommeil. Allez. Reposez-vous.

— C'est que...

— Je sais. Mais je suis là et je ne vous quitterai pas d'un pouce tant que vous dormirez. Vous n'avez rien à craindre.»

Ces paroles rassurantes la calmant, Cari ferma les yeux. Pendant qu'elle dormait, Sam fit signe à Baba d'approcher. Sans dire un mot, elle pointa dans la direction de la gorge de Cari. Baba ne comprenait pas où elle voulait en venir. Alors Sam posa le doigt sur le contenant en plastique noir, en forme de cylindre, qui pendait à une corde autour du cou de la jeune fille. Baba plissa le front pour indiquer qu'elle ne saisissait toujours pas. L'arme du crime? Cari aurait tué Rena? Sam entraîna Baba un peu plus loin, tout en gardant Cari à l'œil.

«Cette corde ou une autre semblable aurait-elle pu causer les marques que vous avez vues autour de cou de Rena?

— Oui.»

Sam sourit, en ouvrant tout grand les yeux. Baba, qui ne pouvait pas lire ses pensées et qui n'entrait pas dans ses secrets, perdit patience:

«Vous avez une idée? ... et vous ne la partagez pas?

— Pour quoi faire? Est-ce que vous me faites part de tout ce qui vous passe par la tête, vous?»

Baba hasarda:

«Seriez-vous, vous aussi, détective?

— Comment? Vous êtes détective?

— Oui. Non. C'est-à-dire, j'ai lu tout Agatha Christie», exagéra-t-elle. *Comment au juste devient-on détective?* se demandait Baba.

«Tout?

— Et en anglais!» ajouta-t-elle avec aplomb.

Silence.

«Et puis, ce meurtre qui s'est produit, pourrait-on dire, sous ma fenêtre... Je sens que c'est pour moi l'occasion rêvée d'essayer mes pouvoirs de déduction.

— Mais voyons! Ce n'est pas le crime qui fait le détective!

— Vous ne croyez pas? C'est quoi alors? Qu'est-ce que vous avez fait, vous, pour le devenir?

— Je ne suis pas détective! Qu'est-ce qui vous fait dire cela?

— Tantôt...

— C'est vous qui l'avez prétendu, pas moi.

— Alors, vous jouez au détective?

— Pourquoi pas? Je suis une comédienne pro-fes-sion-nelle. En tant que telle, je peux jouer presque n'importe quel rôle.

— Même celui de criminel?

— Rien de plus facile.»

C'est un aveu ou je ne serai jamais détective, conclut Baba qui, à la fin de ce qui pouvait passer pour une simple conversation mais qui était déjà un début d'enquête, venait d'identifier les principaux éléments du meurtre de Rena. Restait à trouver l'arme. *À ce rythme, j'aurai terminé mon enquête avant la fin de la journée,* jubila-t-elle.

Le soleil glissait lentement du parasol. Cari le sentit sur sa jambe et son bras droits. Quand elle rouvrit les yeux, Sam était de retour à côté d'elle.

«Si vous voulez dormir plus à votre aise, vous pourriez vous installer dans ma chambre ou je pourrais veiller sur vous dans la vôtre. Cela dit en toute honnêteté, vous pensez bien.

— C'est vrai qu'avec vous..., eut la cruauté d'ajouter Cari qui ne termina pas sa phrase. *Make it my room.*»

Devant sa porte, Cari dévissa le couvercle du cylindre en plastique qu'elle portait à son cou et en sortit la clé de sa chambre.

«Je ne m'endors plus, avoua-t-elle.

— Vous préférez donc être seule?

— Oh, non!»

Elle avait une envie pruriente de parler.

«Je n'ai rien dit à la police, préfaça-t-elle.

— Pourquoi?

— Parce que celui qui m'a interrogée n'a pas posé les bonnes questions. *Weird*... On aurait dit qu'il parlait d'autre chose, de quelqu'un que je ne connaissais pas.

Si j'essayais à mon tour? se dit Sam, en poussant Cari dans la chambre et en la suivant comme une ombre.

«Votre amie portait un petit machin comme le vôtre, elle aussi?

— Oui.

— Je peux le voir?

— Je ne l'ai pas. On ne l'a pas retrouvé.

— Que contenait-il?

— La clé de la chambre, quelques dollars américains pour les *drinks* au bar.

— Vous avez vu le cadavre de votre amie dans les toilettes, lui rappela brutalement Sam. Les marques de strangulation qu'elle portait auraient-elles pu provenir d'une corde comme celle-ci? s'enquit-elle, en saisissant d'une main ferme la corde qui pendait au cou de Cari et en tournant le poignet.

— C'est ça! C'est exactement ça!

— Autre chose: son corps portait-il des marques de coups? des ecchymoses? des égratignures?

— Rien. Où voulez-vous en venir?

— Le meurtrier a tenté de déguiser son crime en viol. Or, une jeune fille ne se laisse pas violer sans se défendre. Si Rena ne s'est pas défendue, c'est qu'elle a été attaquée par derrière. Ce que voulait le meurtrier, c'est la clé de votre chambre. Qu'est-ce que vous cachez ici qui pourrait pousser quelqu'un à tuer pour l'obtenir?

— Taisez-vous!»

Cari pleurait. Sam jubilait, tout en la prenant en pitié, mais ce n'était pas le moment de laisser la sympathie la rendre bête.

«Je m'excuse. Ma compagnie vous est désagréable. Je me retire.»

Dans le couloir, Sam entendit la voix de Cari qui la rappelait. Elle échappa un profond soupir étudié. De nouveau dans la chambre, elle n'eut pas à ouvrir la bouche.

«Je vais tout vous raconter.»

C'est ce qu'elle fit, en n'omettant que des détails qu'elle jugeait sans importance, étant novice dans l'univers du crime. Sam compléta pour soi, en ajoutant ce qu'elle savait.

«Tiens, tiens tiens... Je commence à comprendre certaines choses. Écoutez-moi bien. Je me trompe ou Rena avait raison. L'assassin pourrait fort bien être un homme, en effet, et non pas une femme comme vous pensez. Je n'ai pas de preuve, remarquez bien, mais je crois savoir qui.

— Qui?

— Monsieur Santorini, l'homme à la moustache qui était sur le bateau avec vous. Si je vous le dis, c'est pour votre protection.

— Vous le connaissez?»

C'est moi qui pose les questions, ma petite fille. Pas toi. Elle répondit donc sans avouer:

«Comme il y a peu d'invités à l'hôtel, j'ai appris le nom de chacun. Cela crée à l'Oasis une ambiance non pas de famille — ce serait trop triste —, mais de club privé où l'on est plus indulgent pour moi, parce qu'on s'y amuse en partie grâce à moi. Ça, ma petite fille, c'est du *show-biz.*»

Santorini ayant vu Cari lui faire des signes de la côte, aurait compris que Rena était derrière la lentille de l'appareil. Il aurait éliminé la photographe et se serait emparé de sa clé pour retirer de l'appareil les clichés compromettants.

«Où est l'appareil?»

Cari le chercha dans les valises de Rena, puis dans les tiroirs de la commode, la garde-robe, ses propres valises, sous le lit, partout. L'appareil n'était nulle part.

«Pourquoi avoir emporté l'appareil et tout le *kit*? Pourquoi ne pas s'être contenté du rouleau de film? A-t-il voulu lancer la police sur une autre fausse piste, celle d'un voleur? De toute façon, c'est mieux ainsi. S'il a pris l'appareil, c'était peut-être pour vous signifier qu'il a ce qu'il voulait et qu'il ne reviendra pas.

— *Oh God!* Ce n'est pas le diable rassurant, ce que vous me dites là.

— Comment?

— Le film, c'est moi qui l'ai.»

Cari lui raconta ce qu'elle avait tantôt omis. En volant l'appareil, l'assassin faisait connaître ses intentions. Il reviendrait donc. Sam n'aurait pas troqué sa plus vieille perruque contre la vie de Cari.

«Quittez cette chambre.»

Elle allait offrir la sienne, mais se ravisa, en pensant que quiconque avait à faire de loin ou de près avec l'une ou l'autre des deux jeunes filles courait le même danger qu'elles.

«Le plus sûr serait de retourner chez vous.
— J'ai demandé. Toutes les places sur les avions qui quittent l'île aujourd'hui et demain sont prises.»

Sam lui suggéra de passer ce temps enfermée dans une autre chambre.

«Donnez-moi ce film.»

Le ton était si impératif qu'elle se surprit la première tant elle sortait de son personnage. Qui jouait-elle tout à coup, elle dont le premier rôle de sa vie avait été celui, intolérable, d'orpheline élevée par une tante neurasthénique et complexée jusqu'à l'époque où, ayant terminé son secondaire, elle s'était sauvée d'une famille qu'elle jugeait déséquilibrée et d'un village arriéré, perdu dans un coin oublié de l'Ontario pour s'épanouir, enfin, à l'École nationale de théâtre où elle s'était inscrite sous le nom de Sam? Depuis qu'elle en était sortie, quatre ans plus tard, elle avait joué tellement de rôles qui l'avaient éloignée de celui que le destin lui avait donné qu'elle avait l'impression de porter depuis toujours un masque invisible mais efficace comme un écran solaire. Prise à cet instant dans l'excitation que lui donnait la création d'un personnage, elle rajusta encore une fois sa voix, les traits qu'elle avait mobiles et toute son allure, en y mettant l'âme et le talent qu'il fallait pour passer la rampe.

«Donnez-moi vite ce film», s'entendit-elle répéter.

Cari, qui le portait sur elle, le lui remit sans

poser de question, car la seule chose qui lui venait à l'esprit, c'était que cela ne réduisait en rien le risque qu'elle courait, mais que le film développé pourrait fournir aux autorités un indice sur l'identité de l'assassin qu'elle se rappelait n'avoir vu que de dos et que Sam croyait être Santorini.

«Maintenant, faites comme je vous ai dit.»

L'ordre était sans réplique et, au grand étonnement de Cari, tellement viril qu'elle pensa qu'on ne peut vraiment pas se fier aux hommes, même pas à ceux qui se travestissent. Durant le silence qui suivit, Sam en profita pour se sauver. De retour à sa chambre, elle enfouit le rouleau parmi les costumes qu'elle avait portés et qu'elle ne remettrait plus durant les quelques jours qu'il lui restait à Little Abaco, et se remit au lit par désœuvrement, convaincue qu'elle ne s'y rendormirait pas.

À Treasure Island, il n'y avait strictement rien à faire. On pouvait consommer au bar, mais il n'y avait à manger que des saletés indigestes que la chaleur avait rendu rances ou que l'humidité avait ramollies. Il y aurait eu de quoi faire une indigestion si l'odeur de décomposition qui s'échappait des sacs qu'on ouvrait n'avait été assez forte pour qu'on les jette, avant même d'en vérifier le contenu.

Comme il n'y avait que deux hamacs en filet pour vingt personnes, les dix-huit autres entreprirent le tour de l'île une fois, deux fois, trois fois, avant de s'asseoir, les uns près du quai à attendre l'heure du retour, les autres sous un arbre où ils tentaient de se convaincre que le calme de l'île valait le déplacement, le prix de l'excursion, l'inconfort, la faim et la soif.

Baba, qui de toute façon suivait un régime sans fin, se contenta d'une pomme et de l'air du temps. Elle regrettait toutefois de s'être éloignée, cet après-midi, du lieu d'un crime dont Sam semblait être la seule à avoir percé le mystère. *En serait-elle l'auteur?* Des soupçons, c'est tout ce qu'elle avait et, ce qu'il lui fallait, c'était d'autres indices pour reconstituer les faits. *Ce n'est pas ici que je vais en trouver.* Alors elle baissa les paupières. Au milieu de la lente respiration des vagues qu'elle se forçait de suivre, elle entendit les pas de quelqu'un qui s'approchait d'elle. Quand elle rouvrit les yeux, elle aperçut le garçon du bar qui faisait son tour de l'île, portant au bout du bras un panier d'osier rempli de canettes de bière, à la recherche de clients. *Ce qui a dû chasser Adam et Ève du paradis,* pensa-t-elle, *ce n'est pas Dieu, mais un vendeur de bière, d'arachides et de chips.* Elle eut envie de japper pour l'effrayer, mais, comme il était beau et sensuel comme un ange de William Morris, elle lui sourit et acheta une bière qu'elle enterra dans le sable.

Treasure Island a maintenant un trésor enfoui.

Elle laissa l'image du garçon se promener librement dans sa tête. Comme cette image était libre, elle sortit aussitôt prendre l'air. Quand elle revint, elle était accompagnée de celle de Ted derrière laquelle elle se cacha avant de disparaître tout à fait.

Oh, oh! se ravisa Baba. *Je commence à comprendre.*

La police des Bahamas était arrivée à la même conclusion. Aussi, à l'heure du déjeuner, avait-elle discrètement arrêté le portier de l'Oasis, qu'Aude avait dénoncé pour se rendre utile, l'ayant vu entrer dans les toilettes avec Rena et en ressortir seul. Cela, elle était prête à le jurer, même si on ne lui en demandait pas tant.

«Entre Noirs, on a tendance à se blanchir.» C'était le bruit qui courait sans opposition à l'hôtel Las Palmas où l'on échangeait des sourires en coin. C'était aussi, faut-il le taire? le penchant naturel du Chef de police, mais sa formation le portait aussi aux excès contraires pour donner aux touristes, qu'on saigne à blanc, l'impression que la police locale, hautement décorative, exerce scrupuleusement sa double fonction qui est de les servir et de les protéger contre quelques mauvais sujets. Il mit Ted du nombre et le traita en conséquence. Avant l'heure du thé, il l'avait menacé de tant de supplices affreux que Ted avait reconnu être entré avec Rena dans les toilettes derrière le kiosque à musique. Mais, au moment d'en sortir, ils avaient entendu des pas s'approcher. Rena avait aussitôt refermé la porte en la faisant claquer, puis elle lui avait dit de sortir seul, le premier, ce qu'il fit sans se faire prier. Rena devait attendre une minute ou deux avant de sortir à son tour.

+

Pendant que Ted racontait son histoire, Cari se posait des questions. Allait-elle mourir de peur dans sa chambre ou profiter des deux journées qu'il lui restait de vacances? Dans la chambre, elle était isolée, une proie facile. Ailleurs, elle pourrait bouger, se sauver en cas de danger, appeler au secours et être entendue, s'entourer de gens, ce qui était une protection. Elle sortit donc et, comme l'hôtel était désert, elle loua un vélo et partit à l'aventure.

Une fois sortie du terrain de l'hôtel, l'île lui parut sauvage, malgré la route qui reliait nombre de petits chemins dont certains devaient être des entrées de cour. Comme elle n'avait pas de but de ballade précis, elle vira à gauche, puis à droite, découvrant ici une résidence princière, là une anse autour de laquelle se groupaient plusieurs maisons fragiles. À chaque pédalée, Little Abaco se dessinait avec plus de précision, de relief, de couleur. Il lui arrivait de s'émerveiller tout haut, comme si Rena la suivait derrière. De ne pas l'y voir lui donna un choc. Pour la première fois depuis qu'elle avait appris la mort de son amie, Cari pleura.

C'est de ma faute.

Le sentiment de sa culpabilité lui paraissant trop lourd à porter, elle secoua les épaules, prit une profonde respiration et se pardonna sa légèreté imputable à son âge.

Se lever, quitter la moiteur réconfortante des draps était, pour Sam, plus pénible encore que pour le commun des mortels. Mais une fois debout, les plis reprenaient leur place, le masque réapparaissait avec la fausse assurance et la folle gaieté.

Il faudrait, se dit-elle dès qu'elle se rinça la bouche et se vida la tête pour y laisser pénétrer des idées nouvelles, *que je rende visite à la petite Cari.*

Elle signala le numéro de sa chambre. Pas de réponse. Elle laissa passer quelques minutes avant de rappliquer. «Je ne peux pas croire!» dit-elle tout haut, *faisant vœu de ne jamais plus se jeter dans de pareilles aventures et de ne jamais plus remplir de tels rôles*. Elle s'habilla à la hâte, mena une petite enquête à l'hôtel, apprit ce qu'il y avait à apprendre, loua une voiture et partit à sa recherche.

Dans les Îles, l'on passe sans transition du jour à la nuit. Cari comprit qu'il se faisait tard quand elle commença à avoir tellement mal aux jambes qu'elle n'arrivait plus à faire tourner les roues de son vélo sur la route sablonneuse. Aussi fut-elle au comble de la joie quand elle aperçut une voiture qui venait dans sa direction. Elle lui fit signe d'arrêter, mais plus la voiture approchait, plus, aurait-on dit, elle prenait de la vitesse et Cari, qui n'avait pas l'esprit tranquille, sembla remarquer que le chauffeur la visait. Au tout dernier moment, plutôt que de se faire frapper, Cari se sauva sous les arbres, laissant derrière elle le vélo qui tomba devant les roues qui l'écrasèrent.

«Bonté divine! s'exclama-t-elle. Je n'avais pas rêvé.»

Saisie de panique, elle ne sentit plus sa fatigue et se mit à courir entre les arbres dans la direction de l'hôtel.

«C'était bien, Treasure Island?

— À mourir d'ennui!

— Ici, ma chère, ç'a été le cirque et j'ai été de tous les numéros.»

Sam raconta à Baba comment on avait arrêté

Ted, scène dont elle n'avait pas été témoin, ce qui ne l'empêcha pas de multiplier les détails, les descriptions, les portraits car, femme de théâtre avant toute chose, elle racontait infiniment mieux ce qu'elle inventait que ce qu'elle avait vu.

«Je savais qu'on l'arrêterait, prononça Baba.

— Dommage...»

Cela venait du cœur et était dit pour deux.

«Soyez sans crainte, on va le libérer.

— Vous en êtes sûre?»

Sam fit un sourire entendu auquel Baba n'entendit rien.

«Vous ne me dites pas tout.

— Vous dites toujours cela.

— C'est que vous faites toujours la même chose!

— Pas cet après-midi.

— Qu'avez-vous fait?

— Une gaffe! Depuis, il me tombe sur l'estomac une pluie acide qui va m'empêcher de dormir, car je sais bien que je vais passer une autre nuit blanche», se plaignit Sam qui avait bien dormi la veille, qui avait toujours bien dormi, mais qui laissait parfois croire qu'elle avait le sommeil léger que tout dérangeait et que c'était pourquoi elle était souvent fatiguée, raison suffisante pour ne rien lui demander.

«Racontez-moi.

— Promettez-moi d'abord que vous ne me jugerez pas sévèrement.

— Promis.

— Que vous ne me ferez pas de sermon.

— Oui, oui, oui! Voulez-vous bien cesser de me traiter en enfant! Je suis plus âgée que vous!» s'impatienta Baba dont la journée s'était déroulée au ralenti et qui comptait reprendre le temps perdu.

«Vraiment?

— Ça se voit bien, non? Je pourrais être votre grande sœur.

— Ma...» Sam ne put terminer sa phrase. Une main froide l'avait saisie à la gorge et serrait le poing. C'était la famille qui l'étouffait.

«Qu'avez-vous?»

Sam allait répondre: *deux sœurs de trop*. Mais elle reprit ses sens et mit familièrement une main sur l'épaule de Baba pour se rapprocher d'elle et lui chuchoter à l'oreille:

«Cet après-midi, quand j'ai appris que Cari avait quitté l'hôtel en vélo, j'ai loué une voiture pour la retrouver.

— C'est tout? répliqua Baba, en reculant d'un pas.

— Je n'ai pas de permis.

— On ne vous en demande pas tant ici.

— Je ne sais pas conduire.

— Vous avez eu un accident!

— Oui et non...

— Mais, bon sens, vous me faites faire plus de la moitié du trajet! Allez-vous aboutir à la fin?»

Sam lui raconta qu'elle avait trouvé Cari,

mais qu'au moment où elle allait arrêter la voiture, elle avait mis le pied sur l'accélérateur et que, pendant qu'elle cherchait le frein, Cari avait disparu, laissant derrière elle son vélo qu'elle avait écrasé.

«Vous l'avez appelée, vous l'avez retrouvée?

— Elle avait disparu, vous dis-je.

— Mais alors?

— Rien.

— Vous n'avez rien fait?

— Si, tout de même. J'ai ramassé le vélo et je l'ai rapporté à l'hôtel.

— Et Cari?

— Et Cari! Et Cari! Vous ne pensez qu'à cette petite sotte à qui j'avais interdit de sortir de sa chambre et qui m'a désobéi! Vous ne tremblez que pour cette tête sans cervelle qui a causé la mort de son amie. Ce n'est pas d'elle qu'il s'agit, mais de moi, de ma conscience, de mes inquiétudes. Vous pourriez vous montrer plus sensible à mes besoins, plus compréhensive. Ce n'est pas parce que je fais rire tout le monde que je n'angoisse pas. J'existe, moi aussi. Et, pour tout vous dire, je vivrai plus longtemps qu'elle. Pourquoi vous intéressez-vous tant à elle? Elle va mourir, vous dis-je. Pensez à autre chose, à moi, par exemple.

— Qu'est-ce qui vous prend?»

Sam se calma aussi subitement qu'elle s'était emportée.

«Je n'ai rien dit. Et, puisque c'est Cari qui

vous intéresse, la voici qui entre. Sautez-lui au cou, tant qu'à y être, et qu'on n'en parle plus!»

Sam quitta le hall où quelques regards s'étaient tournés vers elles depuis qu'elle avait élevé la voix. Baba alla au devant de Cari étonnée de cet accueil.

«C'est plus tôt, lui lança-t-elle sèchement, que j'avais besoin de quelqu'un.»

Sans ajouter un mot de plus, elle se détourna, vit Sam, courut se jeter dans ses bras et, blottie contre sa poitrine, pleura comme pleurent les enfants qui ont désobéi et qui le regrettent amèrement. Sam voulut lui intimer de se laver et de se changer, car elle avait beaucoup transpiré, mais elle se dit que pareilles considérations réalistes devraient être étrangères au drame qui se dénouait dans ses bras et se tut, poursuivant dans le silence sa pensée qu'elle peuplait de Phèdre, d'Andromaque et de quantité de grandes dames qui s'agitent beaucoup d'une scène à l'autre et qui doivent, cela est fatal, parfumer l'air ambiant de leur petit corps chaud, même si c'est là une chose sur laquelle, de Racine à Beckett, les dramaturges passent l'éponge. Sam aurait dû suivre de si illustres exemples, mais cette odeur, c'était plus fort qu'elle.

«Vous devriez vous rafraîchir, conseilla-t-elle, en bonne confidente.

— Vous avez raison, mais plus tard. Pour l'instant, je vais aller au petit coin et, pendant que j'y suis, pourriez-vous me commander un *rum and coke on ice? I need a stiff drink.*»

Cari entra, sans hésiter, dans les toilettes près de la piscine, celles-là même où son amie avait été étranglée la veille. Pareil sang-froid ne manqua pas d'étonner Sam qui le mit sur le compte du sentiment bien juste de la fatalité, *les destinées, sous n'importe quel ciel, ne pouvant que s'accomplir.*

Quand Sam revint près de la piscine, Cari n'y était pas encore. Elle choisit, seule donc, une table ronde avec parasol et deux chaises longues, s'assit et attendit en trempant les lèvres dans une boisson rose concoctée par le barman, petit-fils d'un sorcier de l'île. Il y mettait du rhum, du lait de coco, de la grenadine, un zest de citron et des ingrédients non identifiés qu'il mélangeait en marmonnant quelque formule magique qui faisait monter une mousse légère qui collait au verre. Quand Sam eut fini, Baba vint la retrouver pour faire la paix avec elle.

«Je m'excuse, dit-elle, en lui tendant la main.

— Je me suis laissé emporter, s'excusa Sam à son tour.

— Je vous ai vue avec Cari. C'était touchant.

— Jalouse?

— Qu'allez-vous chercher?

— Moi, rien. Mais je commence à m'inquiéter. Voilà quinze bonnes minutes que je l'attends.»

Deux minutes plus tôt, une dame âgée était entrée aux toilettes et, ayant vu Cari morte, étranglée, s'était dit que les jeunes filles d'aujourd'hui manquaient vraiment de tenue. Elle était sortie, comme elle l'avait fait ce matin même en découvrant le corps d'une autre jeune fille, se jurant de ne jamais plus remettre les pieds à Little Abaco où il se passait trop de choses pour une destination soleil.

Quand Baba ouvrit la porte, elle vit la même chose qu'elle, mais réagit de façon plus conventionnelle, en échappant un cri et en appelant Sam pour qu'elle interdise l'accès aux W. C. pendant qu'elle allait rapporter l'incident à la réceptionniste de l'hôtel qui ne cacha pas sa contrariété.

«Ça va nous en faire une belle réputation», échappa-t-elle entre ses lèvres pincées.

Les gendarmes ne tardèrent pas à venir et avec eux une ambulance. Baba les reçut comme si l'hôtel lui appartenait, fit un rapport aussi circonstancié que possible, tâcha, en un mot, de se rendre indispensable pour qu'on la tienne au courant. Elle les conduisit ensuite aux waters. Sam était à son poste, hésitant, devant l'auditoire qui s'avançait vers elle, entre le rôle de gardienne et celui d'hôtesse. On ouvrit la porte sans s'occuper d'elle. Le Chef entra et tout le monde le suivit, Baba fermant la marche. Quand elle vit ce qu'elle vit, elle ne put retenir un cri d'étonnement.

«Vous vous sentez mal? lui demanda le Chef mi-citron, mi-orange.

— C'est que... c'est que..., bégaya-t-elle, ne voulant pas qu'on la juge femmelette et qu'on la renvoie à sa chambre. De la voir ainsi, entourée de gendarmes et d'ambulanciers, rend la scène plus définitive. C'est impressionnant. Voilà, vous m'impressionnez», ajouta-t-elle, en regardant tous les uniformes.

Le Chef, qui avait tenu à se rendre sur les lieux du crime, jugeant que la situation était grave, roula les yeux deux ou trois fois dans leur orbite, l'air de dire que les femmes, même celles de la trempe de cette détective étrangère, sont, malgré les apparences qu'elles entretiennent, impulsives, sentimentales et fragiles, ce qui le rassura un peu sur le sexe car le discours officiel tendait à faire passer le message contraire, ce qui le contrariait, étant lui-même un homme fort, porté sur les femmes vulnérables.

«Si ça vous trouble à ce point...

— Non, non. Ça va aller.»

Baba jeta un regard assassin dans la direction de Sam qui minaudait pendant que le photographe du poste mitraillait de flashes le corps de Cari, sans doute violée comme en témoignait son slip déchiré, qui gisait, inerte, sur le dos, les bras et les jambes disposés en une molle croix gammée.

«Deux amies, violées et étranglées au même endroit, à près de vingt-quatre heures d'intervalle..., résuma laconiquement le Chef qui n'avait pas de pensée à développer. Bon. Emportez tout ça.»

Sam et Baba furent les dernières à quitter les W. C. Sam fit remarquer comme le ciel était beau à cette heure-ci, mais que le vent, qui s'élevait, apporterait la tempête.

«Vous savez ce que c'est qu'une tempête tropicale? Non? Même aussi au nord qu'ici, ce peut être superbe! Cela ne dure pas ordinairement, comme tout ce qui est explosif, mais cela émeut et trouble profondément.»

Elle aurait voulu laisser courir son lyrisme, citer Byron, mais Baba, survoltée, l'en empêcha.

«Vous me dégoûtez!

— Vous voilà repartie. Vous me jugez encore une fois avant de m'écouter, parce que vous ne voulez rien entendre, observa-t-elle simplement. On ne peut même pas causer avec vous.

— Il ne s'agit pas de causer; il s'agit de viol et de meurtre.

— Le meurtrier, vous voulez mettre la main sur lui?

— J'aurais trop peur de me salir.

— Vous avez raison.

— Comment avez-vous pu faire une chose pareille?

— De quoi parlez-vous?

— Cessez ce jeu, voulez-vous? Quand je vous ai laissée, le corps de Cari, le visage contre terre, faisait une masse informe. Quand je suis revenue...

— ... ce n'était plus tout à fait comme avant. J'admets y avoir été pour quelque chose. Mais c'est un peu de votre faute aussi. Vous ne reveniez plus. Alors, pour passer le temps, j'ai donné une forme à ce qui n'en avait pas.

— Vous rendez-vous compte? Vous avez tout changé!

— Ne vous énervez pas: elle était morte. J'ai cru qu'il n'y aurait pas de mal à réarranger les choses pour leur donner un sens. Car ce second meurtre avait quelques ressemblances avec le premier, mais il différait aussi assez de lui pour semer la confusion dans l'esprit de la police locale, peu habituée à ce genre d'incidents. J'ai voulu simplifier.

— En falsifiant l'évidence, vous êtes devenue complice de l'assassin.

— Je doute qu'il m'en soit reconnaissant.

— Je devrais vous dénoncer!

— Ne faites pas cela. La violence me bouleverse surtout dirigée contre moi.

— Je me gênerais peut-être!

— C'était aussi pour vous ce tableau. Rappelez-vous: vous m'aviez demandé si je pouvais imiter un meurtrier. C'est ce que j'ai fait et j'ai ajouté le viol. Avouez que ce n'était pas mal. Même la police s'y est trompée.

— Vous avez violé un cadavre?

— *Distinguo*: j'ai imité un viol.

— Ça vous a excitée?

— Beaucoup. J'ai pensé à Ted, et c'est venu

tout seul. Ce deuxième meurtre est une bénédiction pour lui. Comme il ne peut pas en être l'auteur, on sera bien obligé de reconnaître son innocence et le libérer», déduisit-elle, fière d'avoir détruit le témoignage d'Aude qu'elle jugeait prête à tout pour se rendre intéressante, alors qu'elle ne faisait que compliquer la vie des autres en ne se mêlant pas de ses affaires et en racontant des histoires, ce qui équivalait, pour Sam, à marcher dans ses plates-bandes.

«Vous avez fait cela pour Ted?

— Qui d'autre se serait chargé de l'innocenter? Demain, nous en serons récompensées: je parie que notre portier préféré sera de retour à son poste.»

Quelle femme que cette Sam! se dit en riant Baba, dont le système de valeurs se lézardait dangereusement. Elle réprima un dernier frisson en tentant d'imaginer ce qui s'était réellement passé.

«C'est pour sauver Ted que vous avez tué Cari?

— Merci de m'en croire capable.

— Si ce n'est pas vous, c'est qui?

— Je vous ai demandé tantôt si vous vouliez mettre le grappin sur lui. Vous m'avez laissé entendre que cela ne vous intéressait pas.

— J'ai changé d'idée.

— Trop tard. Il vient d'éteindre. Il était là-haut, précisa-t-elle, en pointant une fenêtre. Dans la chambre de Cari.

— Que cherchait-il?

— Peu importe. Il ne l'a pas trouvé. Vous m'excuserez, mais il ne me reste plus que vingt minutes pour me transformer en Scheherazade. Vous viendrez ce soir?»

Baba ne répondit pas. Sam lui cachait quelque chose, et le seul moyen d'en savoir plus long était de la revoir. Elle irait donc, mais elle ne voulait pas lui donner, à l'instant, la satisfaction de l'avoir ensorcelée avec sa façon de maintenir le suspense.

Ce soir-là, après avoir baissé le voile de soie qui lui couvrait le bas du visage, Sam, dans son costume de Scheherazade, raconta quelques *anecdotes morales*, où il était question de *choses situées au-dessous de la taille*, qui firent rire et qui firent boire la clientèle de l'Oasis qui ne demandait pas mieux. Mais ce qu'elle gardait pour la fin, elle qui n'arrivait toujours pas à comprendre ce qu'elle avait fait pour se mériter une famille, c'était l'«Histoire des trois filles du sultan», qui était de son invention, qui soulevait donc un ou deux voiles sur son identité, sur son choix de carrière, sur ce qu'elle pensait de sa famille, si famille il y avait. *À bon entendeur, salut!* dit-elle, en pensant à Aude qu'elle savait être dans la salle et à Baba qu'elle venait d'apercevoir.

✢

Histoire des trois filles du sultan (début)

La sultane, que le sultan des Croyants avait épousée par amour, par faiblesse et par intérêt, eut trois filles: Primera, Happrêtoa et Çasupphila. L'aînée avait pour elle la beauté du corps et du visage. La cadette avait toutes les qualités de son sexe, mais en quantité si réduite qu'elle passait inaperçue parmi ses servantes et ses esclaves qui n'avaient rien à lui envier. La benjamine, quant à elle, avait des traits si irréguliers qu'on la croyait sotte, même si elle avait de fait beaucoup d'esprit.

«Ce qui est bien, prononça la sultane, c'est que nous pourrons marier la première à un prince digne de son futur beau-père et du royaume qu'il recevra en héritage. Pour ce qui est de la cadette, nous trouverons bien, parmi les fils des courtisans quelqu'un d'assez pauvre pour accepter la main et le reste de cette enfant si ordinaire que nous avons, toi et moi, du mal à la reconnaître. Quant à notre benjamine, si nous l'habillions en garçon et que nous lui donnions le goût de l'aventure, elle pourrait bien passer le reste de ses jours sur les mers ou à faire la guerre, de toute façon loin des yeux de ses père et mère.

— J'en parlerai à mon vizir», dit le sultan des

Croyants qui, en agissant ainsi, n'accordait pas à son épouse le mérite d'avoir trouvé une solution à ses problèmes.

Le grand vizir, politique et psychothérapeute, trouva bonne l'idée que le sultan des Croyants lui exposa, mais, sentant que l'idée venait de la sultane et non pas de son maître, s'y opposa contre son habitude, prétextant qu'*en face de la destinée, il n'y a de recours et de force qu'en Allah le Très-Haut, le Tout-Puissant.* Désarmé par ce raisonnement qui mettait sa foi à dure épreuve, le sultan recula d'un pas et dit dans un soupir: «*J'écoute et j'obéis!*»

C'est ainsi que les trois filles du sultan furent élevées comme des princesses, c'est-à-dire sans rigueur, leurs maîtres ayant intérêt à les ménager en suivant leur pente. Celle de la plus jeune la menait tantôt à la bibliothèque du palais tantôt à son gymnase où elle s'exerçait comme un homme, alors qu'à seize et quinze ans, ses deux sœurs ne pensaient qu'à se marier, ce qui était, de l'avis de leurs parents, la seule bonne idée qu'on leur avait mise en tête. Mais personne ne voulait d'elles, leurs charmes s'épuisant d'eux-mêmes, dès le premier contact, comme un parfum de qualité inférieure.

Pour favoriser les rencontres, la sultane organisait des fêtes auxquelles on ne venait que si on y était forcé. Dans ces conditions, on comprendra qu'il n'y avait rien de plus triste aussi que ces bals, ces banquets et ces épluchettes de blé d'Inde que fuyaient, comme la soif, les fils disponibles des émirs voisins qui, ne voulant rien entendre, menaçaient de se couper les oreilles dès qu'on leur parlait de mariage avec l'une ou l'autre des filles du sultan des Croyants.

Les choses en était là quand on apprit, un jour, au sultan, qu'une caravane comme on n'en avait jamais vu, à en juger par la poussière qu'elle soulevait, se dirigeait vers la capitale de son royaume. Tout le monde mis au courant monta sur les murs pour être le premier à voir venir une chose aussi extraordinaire.

Quand la poussière tomba, on vit au pied des murs de la ville une multitude de tentes de soie disposées avec ordre sur ce qui parut être une pelouse composée de tapis noués, également de soie, d'une richesse inouïe. Le désert en était fleuri jusqu'à perte de vue. Le sultan, émerveillé, envoya aussitôt son vizir à la tête d'une délégation auprès de l'Inconnu pour apprendre de lui quelles étaient ses intentions.

Le grand vizir revint de sa mission avec les cinquante hommes qui l'accompagnaient, chacun d'eux portant au bout de ses bras une cassette remplie de pierres précieuses qu'ils déposèrent devant le sultan.

«Qui est l'Inconnu dont la générosité fait rougir le sultan des Croyants?

— Un ami, le rassura le grand vizir. Un philosophe qui fait le tour de la terre pour s'instruire.»

La sultane, qui mourait d'envie de voir ce que renfermaient les cassettes taillées dans l'or massif inscrusté de perles, fit signe à ses esclaves de les enlever de la salle du trône et de tout porter dans ses appartements.

De nouveau seul avec son vizir, le sultan le consulta sur la marche à suivre.

«Dites plutôt la danse, lui suggéra son conseiller de toujours, car le jeune Inconnu, qui vient de passer quarante jours dans le désert, ne doit penser qu'à cela. Vos filles n'auront qu'à paraître pour le séduire.

— Il est vrai, renchérit le sultan, que rien n'aiguise davantage le sentiment que de passer quarante jours sur le dos d'un chameau.»

Ce qui fut dit fut fait. Quand on ouvrit les lourdes portes de cèdre du Liban, quarante beaux danseurs, vingt devant, vingt derrière l'Inconnu, entrèrent dans la ville, chacun assis, les jambes croisées, sur un plateau d'argent que portaient trois esclaves qui les déposèrent dans la plus grande salle du palais où les attendait la cour au complet. Après les salutations d'usage et un nouvel échange de cadeaux, le sultan signifia à son vizir de donner ordre à ses musiciens d'exécuter des airs anciens et nouveaux.

L'Inconnu dansa d'abord avec Primera qui se félicita d'avoir suivi des cours de danse du plus grand maître du royaume. Elle leva les bras comme deux branches de flambeau, puis laissa ses hanches se démener comme un petit navire emporté par la bourrasque. C'était tellement délicieux de la voir qu'il n'y eut bientôt qu'elle sur la piste, tous les autres danseurs s'étant arrêtés et mis en cercle autour d'elle pour la regarder et l'admirer. Quand les musiciens cessèrent, qui de gratter, qui de pincer, qui de souffler, Primera était en nage, mais fière de l'effet obtenu.

Vint le tour d'Happrêtoa qui tendit une main docile à l'Inconnu qui la prit. La musique ranima tout le monde. Comme Happrêtoa dansait médiocrement, personne ne fit attention à elle, même pas l'Inconnu qui, bien avant la fin de la danse, avait tenu celle-ci et celle-là dans ses bras, l'oubliant tout à fait.

Restait Çasupphila. N'ayant jamais appris à danser, elle ne voulut pas se donner en spectacle. Alors elle mit un bras autour du cou de l'Inconnu, puis l'autre, et, tout le temps que dura la musique, se laissa conduire par lui, ses deux petits pieds sur les siens.

De cette première épreuve, l'Inconnu retint que l'aînée était une orgueilleuse qui gardait pour elle tout le plaisir qu'elle aurait pu donner à son futur mari, ce qui était de mauvais augure. La cadette était si ordinaire qu'elle fondait dans le décor et qu'on pensait à n'importe qui et à n'importe quoi plutôt qu'à elle au moment du plaisir. La benjamine cependant, s'étant donnée entièrement au plaisir de l'homme qu'elle avivait par la chaleur de son corps, lui parut pleine de fulgurantes promesses. Il garda pour lui ces considérations et demanda au sultan des Croyants si le chant ne pouvait pas suivre la danse. Et il en fut selon son bon plaisir.

L'Inconnu demanda à Primera si elle voulait l'accompagner dans une chanson qu'elle et lui connaissaient. La princesse accepta avec empressement car on lui avait maintes fois dit qu'elle chantait mieux qu'elle ne dansait. Elle s'emplit les poumons d'air frais et, de sa bouche parfumée, sortit une romance langoureuse. Mais elle éleva tellement la voix qu'on n'entendit plus l'Inconnu qui se contenta de l'écouter. Quand elle eut fini, il l'applaudit avec tous les autres.

Happrêtoa suivit. Ce qui sortait de sa bouche était tellement ordinaire que tous, hommes et femmes, pour ne pas bâiller ostensiblement, l'accompagnèrent en chœur.

Quand vint le tour de Çasupphila, on put entendre quelques rires mal étouffés, car on savait qu'elle n'avait jamais chanté. La benjamine fit signe à l'Inconnu de commencer pour lui donner la mesure, puis ouvrit la bouche sans qu'il en sortît de son. Mais la voix de l'Inconnu était si modulée qu'elle se passait d'accompagnement.

«Oh! Oh! se dit l'Inconnu. La première s'écoute chanter, le chant de la seconde est indistinct et la troisième écoute. Je crois bien avoir trouvé la femme qu'il me faut. Mais voyons encore.»

L'Inconnu retrouva le sultan des Croyants, le loua de la bonne éducation de ses filles et lui dit, sans détours, qu'il aimerait épouser l'une d'elles, n'importe laquelle. Mais il ajouta, avant que le sultan n'intervînt, que ce choix devait venir d'elles et non de lui ni des parents, les mariages heureux étant ceux que préparent les filles qui ont plus à perdre en changeant de couche que les hommes qui ont mille et une distractions en dehors de la maison.

Primera et Happrêtoa se mirent alors à se disputer l'honneur d'épouser un homme aussi riche, aussi talentueux et aussi beau que l'Inconnu avec lequel elles venaient de passer une si agréable soirée. Mais avant qu'elles ne s'arrachent les cheveux et les yeux, l'Inconnu dit aux trois sœurs que, la lune étant à son plus haut, il était temps qu'il retournât à sa tente, et qu'avec la permission du sultan des Croyants il reviendrait le lendemain les soumettre à une épreuve qui déciderait de leur sort. Le sultan accepta au nom de tous.

Le lendemain, à la même heure, l'Inconnu revint à pied avec quarante officiers de son armée, vingt devant, vingt derrière, qui lui servaient de garde. Trois esclaves, mieux faits que tous ceux du sultan, précédaient l'Inconnu. Le premier portait un coffret de cuivre garni de clous de fer qui avaient rouillé; le second portait un coffret d'argent terni qui avait été poli à la hâte; le troisième portait un coffret d'or tout recouvert de diamants et d'émeraudes.

✢

Quand Sam remonta le petit voile de soie pour se couvrir de nouveau le bas du visage, on comprit que c'était la fin de la première partie de son spectacle. On riait beaucoup, on applaudissait tout autant, y compris Baba qui remarqua toutefois qu'on ne déridait pas à une table, celle de Santorini et de son compagnon que Sam avait identifié pour elle, plus tôt dans la journée, comme étant Francisco Ratisboa, dans Little Abaco sur son yacht, depuis une semaine. Santorini s'énervait, tiquait, parlait des mains à Ratisboa qui, maître de soi, lui demandait de se calmer.

Sam donna à tous le temps de commander une consommation avant de reprendre sa place sur le petit plateau parmi les trois palmiers découpés dans du carton. Mais avant qu'on baisse les lumières dans la salle et qu'on allume le spot sur elle, Santorini se leva et fit mine de partir. Ratisboa le saisit aussitôt par les épaules et le força à se rasseoir. Baba, qui ne comprenait pas ce qui se passait, mais qui voyait que cela allait mal, se dit qu'elle devrait se rapprocher des deux hommes pour entendre ce qu'ils disaient et qu'elle le ferait aussi discrètement que possible, comme un vrai détective, dès que Scheherazade aurait terminé le conte qu'elle reprenait là où elle l'avait laissé.

✢

Histoire des trois filles du sultan
(suite et fin)

Le coffret de cuivre garni de clous de fer qui avaient rouillé, le coffret d'argent terni qui avait été poli à la hâte et le coffret d'or tout recouvert de diamants et d'émeraudes furent déposés dans une petite pièce à laquelle une seule porte donnait accès. L'Inconnu prévint le sultan des Croyants que les princesses risquaient plus que leur avenir, que l'épreuve pouvait s'avérer fatale à l'une d'elles sinon à deux ou bien aux trois.

Le vizir comprit alors pourquoi l'Inconnu était ce jour-là accompagné de ses officiers les plus braves. Si le sultan levait la main sur lui pour venger ses filles, l'Inconnu saurait se défendre assez longtemps pour sonner l'alarme. Il envoya un esclave voir ce qui se passait dans le camp de l'Inconnu. Ce qu'il apprit ne le rassura guère. Les portes de la ville ayant été laissées ouvertes, tous les hommes de l'Inconnu étaient dans la ville et plusieurs même avaient envahi le palais. Le vizir voulut en avertir le sultan qui le repoussa. Le marché fut conclu.

Primera entra la première dans le petit cabinet. Comme elle avait de l'instruction, elle se rappela avoir entendu dire que tout ce qui brillait n'était pas or. Même si son naturel la poussait dans la direction du coffret d'or recouvert de diamants et d'émeraudes, elle y renonça donc, se disant qu'en choisissant le coffret gagnant, elle aurait aussi les deux autres. Rien ne pressant, elle alla directement au coffret de cuivre, saisit la clef et la tourna dans la serrure qui céda. Le cœur lui battait et elle tremblait de toute sa personne. Elle souleva le couvercle. Dans le coffret se trouvait une batterie complète de cuisine.

Elle échappa un cri si fort que le sultan et la sultane l'entendirent et se levèrent pour se porter à son secours. L'Inconnu leur fit signe de ne pas intervenir. Ils se rassirent donc, se demandant qui pouvait bien être cet homme qui donnait des ordres au sultan des Croyants, avec tant d'autorité qu'il ne songeait pas à lui désobéir. Pour se rassurer, le sultan regarda autour de lui, mais il fut saisi d'un étrange malaise quand il s'aperçut qu'il était entouré de soldats qui ne portaient pas l'uniforme des siens.

Primera, voulant aller au fond des choses, mit la main dans le coffret et en sortit toutes les casseroles avant de découvrir un papier plié en quatre sur lequel étaient écrits ces mots:

Les âmes mal nées
Finissent devant les cheminées.

Seuls les ambitieux
Méritent mieux.

Saisie de rage elle voulut déchirer le papier en mille morceaux, mais, le papier collant à ses mains, elle dut mouiller ses doigts pour s'en déprendre. Aussitôt sa gorge se rétrécit comme si des mains puissantes se refermaient sur elle.

Les trois esclaves de l'Inconnu entrèrent dans le cabinet, remirent les choses en place et sortirent le cadavre de Primera qui passa sous les yeux ahuris de ses parents et de ses sœurs.

«C'est au tour d'Happrêtoa, annonça l'Inconnu. Mais rien ne l'oblige à tenter sa chance. C'est librement qu'elle doit se soumettre au destin.»

Happrêtoa n'hésita pas une seconde. Avant même qu'on se fût aperçu qu'elle était sortie, elle entrait dans le cabinet et en refermait elle-même la porte.

«Mon destin, déclara-t-elle, est de n'être ni la première ni la dernière. Je choisis donc le coffret d'argent qui brille ici et ternit là.»

C'est ce qu'elle fit. Elle ouvrit le coffret d'argent et vit qu'il était vide.

«Qu'est ceci?»

Elle y promena la main et ne rencontra rien. Elle ouvrit plus grand, tant et si bien que le couvercle bascula. Au fond se trouvait un miroir noir qui lui renvoyait une image sans relief d'elle-même, sur lequel elle put toutefois lire ces mots:

Accepter une vie sans aventure
Ni trop douce ni trop dure,
C'est se vouer à la médiocrité
Pour l'éternité.

Elle s'approcha pour vérifier si elle avait bien lu. Mais les mots s'effacèrent ou plutôt s'envolèrent comme des éclats qui se logèrent aussitôt dans sa gorge.

Les trois esclaves entrèrent une seconde fois dans le cabinet, virent ce qui s'y était passé, remirent tout à sa place et sortirent le cadavre d'Happrêtoa. Le sultan, que l'émotion gagnait, se pencha vers la sultane, en lui disant:

«Nous sommes perdus! Il ne nous reste que la plus laide!»

La sultane ne fit rien pour retenir Çasupphila qui se dit que la soirée de la veille avait été mieux réussie que celle-ci et que, s'il y avait une leçon à tirer de cet incident, c'était bien qu'il ne faut pas faire durer les plaisirs au delà de leurs possibilités.

Sans attendre qu'on l'avertît à son tour du danger qu'elle courait, Çasupphila prit congé de ses parents et se dirigea vers la porte du cabinet. Voyant qu'on n'avait pas l'intention de lui ouvrir, elle donna à l'esclave le plus près un violent coup de poing à l'abdomen, en lui disant:

«Ce n'est pas parce que vous avez ramassé et porté mes sœurs comme des ordures que vous devez me traiter comme un torchon.»

L'esclave, qui avait l'habitude des manières de la cour, comprit que cette fille, quoique sans attraits, était princesse et qu'elle venait de lui donner un ordre. Alors il s'exécuta. Mais, comme il se rangeait pour la laisser passer, elle lui donna un coup de pied au derrière et le fit marcher devant. Puis se retournant vers le deuxième esclave, elle lui fit signe de refermer la porte derrière elle, en lui ordonnant de ne pas bouger de son poste avant qu'elle ne l'appelât.

Un seul coup d'œil suffit pour qu'elle remarquât que le coffret de cuivre et le coffret d'argent n'étaient pas alignés sur celui en or massif. On les avait donc bougés. Elle se dit fort justement que l'hypocrite Primera avait dû choisir le coffret de cuivre et que l'insipide Happrêtoa avait dû se reconnaître dans l'argent à moitié terni et à moitié poli.

Je n'ai jamais compté dans cette famille de malheur, résuma-t-elle. *Les choses vont changer; les choses ont changé. Il n'y a plus d'aînée, de cadette ou de benjamine. Il y a l'unique Çasupphila. Je ne suis ni plus belle ni plus laide que les deux autres; je suis seule et tout est à moi. Je n'ai pas à choisir: les trois coffrets m'appartiennent, ainsi que l'Inconnu. Il a promis d'épouser n'importe laquelle de nous trois; il ne reste plus que moi. Qu'il prenne mon voile: je suis à lui.*

Mais, quand elle voulut sortir du cabinet, l'esclave se plaça devant la porte et lui en interdit l'accès.

«Tu oses t'opposer à la volonté de ta maîtresse? Attends un peu, tête de mule!»

Çasupphila saisit le coffret en or massif et le lança de toutes ses forces à la tête de l'esclave qui s'écroula sur le plancher de marbre, le visage si enfoncé que le nez lui sortait par la nuque.

La serrure ne résista pas non plus au choc, et, du coffret, coula une rivière de diamants, d'émeraudes, de saphirs, de rubis, d'améthystes, de topazes et de turquoises dont le feu réchauffait une hépatite de la grosseur d'une crise de foie.

C'est maman qui va être heureuse d'avoir tout cela, car, pour ce qui est de moi, rien ne me va plus mal que les brillants qui attirent l'attention sur ma laideur.

Elle ouvrit la porte, fit entrer le deuxième esclave, lui ordonna de retirer les pierres précieuses du sang et du cerveau du premier esclave et, quand il eut fini, lui demanda ce que renfermaient les deux autres coffrets qui lui appartenaient depuis qu'elle avait ouvert celui qui la rendait maîtresse du cœur et de tout ce que possédait l'Inconnu, y compris ses secrets les mieux gardés.

«Mes sœurs étaient idiotes et je les détestais presque autant qu'elles le méritaient, murmura-t-elle quand il eut fini de la renseigner sur ce qu'elle voulait savoir, mais elles étaient mes sœurs.»

Cette phrase sibylline lui échappa sans que le second esclave en saisît le sens, mais il en n'éprouva pas moins les durs effets car, voulant vérifier ce qui venait de lui être révélé, la princesse ouvrit le coffret d'argent, vit qu'il était vide et accusa l'esclave de lui avoir menti. L'esclave sourit de toutes ses dents blanches.

«Le miroir n'est pas au fond du coffret, dit-il. Il se trouve dans le couvercle.»

Çasupphila fit semblant de forcer pour renverser le couvercle.

«Tu mens, fit-elle. Le couvercle ne bouge pas davantage.

— Je ne mens pas, protesta-t-il. Laissez-moi faire.»

Et saisissant le coffret qu'elle lui tendait, il souleva le couvercle et se vit dans le miroir.

L'esclave ne mentait pas sur le contenu du coffret d'argent, convint-elle, en le regardant mourir. Pour ce qui est du coffret de cuivre, je dois le croire sur parole, conclut Çasupphila qui ouvrit une seconde fois la porte et fit entrer le troisième esclave.

«Prends le cadavre du premier esclave, traverse la salle du trône et porte-le sur ton épaule jusqu'au milieu de la cour du palais où les hommes de ton maître le reconnaîtront et lui donneront la sépulture qu'il mérite.»

Quand il revint, Çasupphila lui fit porter le

cadavre du second esclave, sous les mêmes conditions. Puis, le troisième esclave porta les trois coffrets devant le sultan des Croyants, la sultane, le grand vizir, toute la cour, l'Inconnu et un grand nombre de ses soldats. Quand elle entra elle-même, sans escorte, dans la grande salle du trône, il se fit un silence de mort qui ne présageait rien de bien, de sorte que la princesse n'eut pas à élever la voix pour se faire entendre de tous.

«Prends, maman, dit-elle, en mettant le coffret en or massif sur ses genoux, c'est pour toi.»

La sultane, qui portait déjà cinquante kilos de pierres précieuses finement taillées sur la tête, autour du cou, des poignets, des chevilles et jusque dans le nombril, ouvrit le coffret et y plongea les mains pour en sortir des grappes de rubis qui lui mirent l'eau à la bouche. Les paroles lui manquant pour dire sa satisfaction, elle se contenta de roucouler en faisant rouler les pierres entre ses doigts.

«Voici, mon père, le beau cadeau de noces que m'offre l'Inconnu.»

Çasupphila prit le coffret de cuivre et en renversa le contenu sur le tapis de soie aux pieds du sultan des Croyants qui échappa un cri d'indignation, ne pouvant pas croire qu'un prétendant aussi riche que l'Inconnu, qui lui avait demandé la main de n'importe laquelle de ses filles, eût eu l'intention de reléguer son épouse aux cuisines.

«C'est une blague, dit le sultan qui n'osait pas contrarier un homme aussi puissant que l'Inconnu. Et en voici l'explication», ajouta-t-il, en mettant la main sur le papier plié en quatre qui se trouvait parmi les casseroles de cuivre.

Mais ses doigts, comme, avant lui, ceux de Primera, collèrent au papier. Pour les déprendre de la glu, il les mouilla de salive, mais aussitôt que sa langue toucha ses doigts, le sultan vit un nuage se former devant lui qui emporta ce qu'il lui restait de vie.

«Bel Inconnu, récita Çasupphila, tu as suivi les contours de toutes les mers et tu as traversé tous les continents. Ta quête se termine ici. Regarde-moi dans les yeux: je suis ta récompense.»

L'Inconnu leva les yeux vers la princesse, mais ce qu'il vit lui parut si décevant qu'il baissa la vue et, ce que ses yeux rencontrèrent, ce fut le miroir noir du coffret d'argent que Çasupphila tenait sur sa poitrine plate. Médusé, il se leva et s'approcha pour se mieux voir et se confondre dans son image. Il versa alors une larme de feu pendant que tout son corps se décomposait avant de se réduire à un grain de sable et, avec lui, celui de tous ceux de sa suite, de sorte que le palais se vida et que disparurent les tentes de soie et les tapis fleuris devant les murs de la ville.

Les diamants, les émeraudes, les saphirs, les rubis, les améthystes, les topazes, les turquoises et l'hépatite se transformèrent, entre les mains de la sultane, en autant de vipères dont une seule morsure aurait suffi pour tuer un chameau mâle adulte.

Le vizir, que le spectacle de tant de sortilèges avait visiblement vieilli, crut sage de se retirer par la première porte, mais Çasupphila le retint pour lui demander de voir à ce que les siens eussent une sépulture honorable et, pour assurer la paix dans le royaume, lui demanda d'en assumer la régence, en attendant de trouver un nouveau sultan.

Profitant de l'émoi qui s'était répandu dans le palais et qui avait gagné la ville, Çasupphila se retira dans ses appartements, se déguisa en homme et trouva bientôt une caravane qui s'en allait vers le port le plus proche.

Ce qu'elle y fit et ce qu'elle devint constituent la trame et la chaîne d'une autre histoire...

C'était la fin du spectacle à l'Oasis. Sam remonta une seconde et dernière fois son petit voile pour se couvrir le bas du visage, l'éclairagiste baissa les lumières jusqu'à ce que la salle soit plongée dans l'obscurité. Quand on ralluma, Sam se dit que jamais on ne l'avait tant applaudie.

«C'est si bon, chanta-t-elle, savourant une petite sensation. Si seulement ça pouvait durer.

+

Au moment où, à l'Oasis, Sam «triomphait» — son succès étant vite devenu un triomphe, dans son esprit —, on perquisitionnait dans sa chambre.

Du couloir, elle remarqua un trait de lumière sous sa porte. *J'ai dû oublier d'éteindre.* Avant d'insérer la clef dans la serrure, elle saisit le bouton de la porte et tourna. *Mais je n'ai certainement pas oublié de fermer à clef. Qu'est-ce qui se passe?*

Trois hommes, dont deux en uniforme, vidaient méticuleusement ses tiroirs et jetaient tout par terre au milieu de la pièce. Sam, pour qui la vie, la sienne en tout cas, n'était qu'une série discontinue de scènes et de tableaux, improvisa une fois de plus comme elle avait appris à le faire à l'École nationale de théâtre:

«Plutôt que de tout chambarder, si vous cherchez quelque chose, vous n'avez qu'à demander.

— Entrez.

— Merci de l'invitation.»

Pour se libérer de la réalité sur laquelle elle n'avait aucune emprise, lui semblait-il, Sam s'imagina chez un marchand de Bagdad qui déroulait à ses pieds ses plus beaux tissus, pendant qu'un autre faisait miroiter devant ses yeux, des bijoux de prix et qu'un troisième lui offrait des parfums. Mais tout avait, pour la sultane dont elle tenait le rôle, un air de déjà vu, et ce qu'elle était venu chercher dans le souk, c'était de nouveaux musts.

«N'avez-vous rien de mieux..., se prit-elle à dire tout haut.

— ... à faire? compléta celui qui l'avait invitée à entrer. Nous faisons notre métier.

— Et quel est ce métier?

— Police.»

Sam regretta tout à coup son intervention dans les toilettes. Mais elle dissipa aussitôt le reproche qu'elle venait de se faire. *Je ne l'ai tout de même pas tuée, comme l'a bêtement cru et peut-être répété Baba. J'ai simplement retouché un tableau qui m'avait paru esquissé à la hâte, en y laissant sans doute mes empreintes un peu partout.*

«Je renouvelle mon invitation de tantôt. Que cherchez-vous?»

Devant le mutisme des trois hommes, Sam se rappela les confidences de Cari et se dit que la jeune fille avait eu raison de ne rien révéler au Chef de police, qu'elle devina être celui qui avait pris la parole, et qui, sur le coup, lui parut ne pas connaître son métier, qu'il avait dû obtenir par intrigue, et qui dissimulait mal son incompétence derrière sa suffisance comme tant d'incapables de sa sorte qui ont plus de piston que de mérite. Comme elle aimait malgré tout les Îles, elle ne voulait rien dire contre les Bahamas, ce qui ne l'empêchait pas de penser que...

Pour se donner une contenance, Sam toussa deux ou trois fois. C'est ce que font, se rappelat-elle, ceux qui, s'étant coupé les veines, arrivent au bout de leur suicide. Allait-elle mourir, elle aussi? Le Chef, car c'était lui, la rappela à la vie en lui demandant si elle avait des ennemis. Sam se gourma:

«Des ennemis? Bien sûr. Je ne fais pas l'unanimité. À la fin de chaque spectacle, il y a toujours un ou deux spectateurs qui me lancent des regards furieux, scandalisés, mais je n'ai d'yeux que pour les œillades. Ce soir — dommage que vous n'y étiez pas —, c'était un peu spécial. L'auditoire s'est surpassé. Heureusement que j'étais à sa mesure.»

Les deux gendarmes qui accompagnaient le Chef semblaient en douter. Ils ne la déshabillaient pas des yeux comme tant d'autres; ils l'écorchaient. Sam frissonna d'horreur en sentant sa peau se détacher des os.

«Encore une fois, que cherchez-vous?

— Les valises», dit le Chef, sans lui répondre.

Les deux gendarmes ouvrirent les valises. Tout ce qu'elles contenaient retrouva le reste, pêle-mêle au milieu de la chambre.

«Tiens, tiens», fit le Chef, ramenant brutalement à la réalité Sam qui se préparait à retrouver les marchands de tissus, de bijoux et de parfums dans le souk de Bagdad.

C'était le poignard qu'on cherchait, ce qui confirmait les soupçons qu'elle avait eus sur Santorini.

«Vous reconnaissez ce poignard comme étant le vôtre?

— Oui, mais...», commença Sam qui ne trouvait pas les mots qu'il fallait pour raconter sans fard un incident vrai.

Le Chef le dégaina. Sam remarqua que la lame était brisée, qu'il en manquait la pointe.

«Mardi, entre 16 et 17 h, récita le Chef, un membre de l'équipage du yatch La Serena a été assassiné sur une plage isolée de Green Turtle Cay. Le corps, nu, a été retrouvé le lendemain, grâce au témoignage d'une jeune fille qui nous a dit avoir vu une femme aux épaules et aux hanches étroites, dix ou quinze minutes plus tôt, avec le jeune homme en question. Au cours de l'autopsie, qui a été faite ce matin, à Nassau, on a découvert un morceau de métal logé dans une côte de la victime. Vous venez de reconnaître ce que je crois être l'arme du crime. Vous suivez mon raisonnement?

— Dois-je comprendre, avança Sam avec précaution, que vous avez l'intention de m'arrêter?»

Le sourire inquiétant des gendarmes le confirmait. Le Chef dissipa ce qui pouvait rester de malentendu. On avait aussi reçu, au poste, un appel anonyme dénonçant Sam comme la meurtrière de Rena et de Cari. Oui, on était venu l'arrêter.

«C'est impossible...», souffla Sam, terrorisée par l'idée de passer la nuit et combien d'autres après celle-ci, dans une prison des Bahamas. Elle manquait d'air comme si elle avait reçu un coup de poing au ventre.

«Donnez-moi au moins le temps de me démaquiller et de me changer», implora-t-elle, en reprenant son souffle.

Le Chef refusa, mais, en bougeant la tête pour signifer son refus, il vit soudain un rouleau de film qu'il saisit à l'insu de Sam.

C'est qu'au même moment, celui qui lui avait paru le plus primaire des deux agents de police lui passait les menottes.

«Est-ce nécessaire?» balbutia Sam, tellement humiliée par ce procédé qu'elle en avait la larme à l'œil.

Quand elle vit qu'il y avait du monde — un public — dans le hall de l'hôtel, Sam hésita entre le rôle tragique de la reine déchue et celui, plus mélodramatique, de l'orpheline qu'enlève le méchant tuteur. Elle opta pour le mélodrame pour enlever tout semblant de dignité à ses bourreaux. Ce fut un second triomphe: Sam eut la satisfaction d'entendre, autour d'elle, l'indignation monter comme un raz-de-marée.

On la conduisait en prison. Sam, qui pouvait, par la seule magie des mots évoquer l'Orient avec ses coupoles, ses mosaïques et ses jardins qu'égaient des fontaines alignées comme des parasols, n'arrivait pas à imaginer ce que pouvait être une prison aux Bahamas. *Sordide*, se répétait-elle, le mot se cognant à des murs et à des barreaux. Rien n'en sortait. Ce devait être sombre, humide, malsain, renfermé, avec tout plein de monde coupable.

Pareille idée aurait dû la faire frémir. Mais le mouvement de la voiture, qui roulait lentement, la berçait. Sam ferma les yeux pour oublier un peu le gendarme à côté d'elle, le Chef de police et le chauffeur devant. Elle pensa : *Comment dormir dans une prison?* Il n'en fallait pas davantage pour que, la tête appuyée contre la portière, elle se lance dans une autre improvisation, cette fois-ci la mettant personnellement en scène, sous son propre nom.

Histoire de la nuit de prison de Sam
(début)

Sam, qui s'était imaginée plus tôt dans le souk de Bagdad, se vit maintenant arrivant à la prison d'Abaco qu'elle situa sur le terrain même ou celui voisin de l'aéroport, ce qui facilitait le transfert des accusés de la prison de l'archipel à la cour de Nassau. Elle traça dans son esprit les lignes droites d'un petit édifice sans étage de style moderne, empruntant sa structure fonctionnelle à celle des boîtes de spaghettis. La porte centrale donnait sur une pièce plus grande qu'on ne l'aurait devinée de l'extérieur car l'édifice était plutôt profond.

Le sergent, qui débordait de son uniforme, se leva dès qu'il aperçut le Chef derrière l'accusée.

Visiblement intimidé par son patron, il tentait désespérément de replacer sa chemise dans son pantalon, mais plus il y mettait la main, plus la chemise rebelle en sortait comme si les pans lui collaient aux doigts. Alors pour se donner une contenance, il se dandinait, appuyant tantôt sur un pied, tantôt sur l'autre: un organiste sans son instrument.

Les seules chaises disponibles se trouvaient derrière quatre bureaux inoccupés à cette heure-ci. Sam comprit que, malgré l'énervement dans lequel l'avait mise son arrestation et la fatigue qu'elle ressentait toujours à la suite d'un spectacle au cours duquel elle s'était dépensée sans réserve, elle devrait rester debout le temps de remplir les formalités qui se résumaient à une trentaine de questions réparties sur les deux pages d'un feuillet conçu pour les assassins, les prostituées, les trafiquants et les ivrognes, le même pour tous, chacun, aux yeux de la loi, étant pareil aux autres. Dans cette salle d'accueil — l'antichambre des dramaturges classiques —, au centre duquel trônait le sergent comme Dieu le Père, l'on séparait ceux qui représentaient la loi de ceux qui se trouvaient devant la loi. Ces derniers descendaient aussitôt dans la cave qui sentait le caveau, la mort et peut-être l'enfer, alors que les autres restaient au soleil qui, le jour, entrait par les portes et les fenêtres ouvertes.

Avant même qu'on ouvrît le rideau de fer de la cellule commune des hommes, Sam se mit à regretter la petite chambre de l'hôtel Las Palmas qu'elle avait laissée à Treasure Cay. Le courage venant à lui manquer, il fallut la pousser pour qu'elle fît les derniers pas, laissant derrière elle ce qu'il lui restait de vie privée.

Le premier choc passé, ses compagnons de cellule oublièrent leur misère pour décupler la sienne, en riant, en sifflant, en passant des commentaires blessants comme seuls peuvent en faire ceux qui souffrent. Quand le plus audacieux eut l'insolence de poser une main sur sa croupe, Sam se dit que, si elle ne réagissait pas dès lors, la nuit, qui s'annonçait longue, serait aussi insupportable. On riait d'elle? Soit. Elle en avait l'habitude; elle était même payée pour cela. Ces hommes enfermés n'étaient pas essentiellement différents de ceux qui, d'un soir à l'autre, se reléguaient ou revenaient, dans les bars où elle paraissait, écouter une folle leur raconter des histoires à dormir debout.

«*I'm a good fairy,* préluda-t-elle, ce qui les fit rire d'un rire entendu, *come to free you.*»

Sam, qui était *une femme de tête et d'idées excellentes,* avait trouvé le mot qu'ils voulaient entendre et l'avait prononcé avec tellement d'aplomb, qu'on ne mit pas sa parole en doute.

«Je vois, poursuivit-elle, que, malgré certaines distinctions superficielles, nous sommes de la même famille, celle des innocents.»

Cette précision les étonna. Innocents, eux? De quoi parlait-elle? Met-on des innocents en prison? On pouvait bien traiter de «folles» les hommes de son espèce. Mais on ne trouvait rien pour l'interrompre dans cet univers qui se réduisait à quelques mètres carrés, éclairés par une ampoule nue qui jetait plus d'ombre, semblait-il, que de lumière.

«Il faut être gendarme, avocat ou juge pour ne pas reconnaître, sur vos traits, les traces de votre innocence qui me sautent aux yeux.»

L'émotion les gagnait. Stupidement peut-être, mais de façon efficace. Il avait suffi qu'on les dît innocents pour qu'ils commençassent à le croire.

«Ce qui me paraît tout aussi évident, c'est que vous souffrez de l'injustice qui vous est faites. Quant à moi, je sais que j'en souffre tant que je ne pourrai fermer l'œil de la nuit.»

Chacun aurait voulu tenir le même propos, dans le même langage. Mais, comme les mots ne venaient pas, on lui fit comprendre par sa seule physionomie, qu'aucun ne se sentait capable de dormir cette nuit-là.

«Pour mieux faire passer les heures qui viennent, les plus noires de notre vie, que chacun raconte l'erreur judiciaire qui l'a conduit ici.»

Chacun se montra d'accord, le plaisir de se disculper faisant oublier parfois la détresse qu'apportent les accusations. Pour donner de l'ordre à ces récits, l'on accepta de tirer à la courte paille. Comme ils étaient six, mais que l'un d'eux dormait ferme dans son coin, Sam arracha, un à un, cinq poils de longueur inégale de la poitrine de celui qui l'avait touchée plus tôt. Ayant repéré le poil le plus court, Sam se le réserva sans qu'il y parût.

Le premier à raconter commença ainsi:

«Écoutez-moi, mes pairs, vous dire comment j'ai été injustement accusé.»

Chacun prit place sur un sommier métallique, s'appuya le dos contre le mur et, les jambes étendues au-dessus du vide comme un enfant dans un fauteuil trop profond pour lui, écouta l'«Histoire du premier voleur».

Histoire du premier voleur

Je ne suis qu'un pauvre pêcheur, honnête comme ceux qui exercent un métier dont ils ne retirent que les avantages d'un travail bien fait, soit un toit pour se protéger des intempéries et de l'indiscrétion des voisins, ce qu'il faut de vêtements pour ne pas choquer les habitants des villes qui ne se gênent pas, eux, pour exposer à nos yeux et sans pudeur, des corps moins bien tournés que les nôtres, et de quoi tromper la faim et la soif d'un jour à l'autre. Chaque matin, je me lève à la même heure que les autres pêcheurs et nous partons, chacun dans sa barque, lancer nos filets tout près de la côte, là où le poisson est si abondant qu'on n'a pas à risquer sa vie pour le chercher plus loin. C'est un beau métier, celui de mon père et de son père avant lui. Mais je serai, selon toute vraisemblance, le dernier à l'exercer, car mon fils, qui a des ambitions qui dépassent mes moyens, veut vivre comme les touristes qui lui chantent la vie des villes dans les pays qui ne sont pas des îles. Comme le monde a changé! Aujourd'hui les jeunes ne veulent rien savoir de leurs parents et croient pouvoir tout apprendre des étrangers qui leur racontent ce qu'ils veulent entendre, c'est-à-dire des mensonges qui flattent leur paresse et leur vanité. Et, comme ils n'ont rien vu, tout leur semble possible. Excusez cette digression qui est la complainte d'un père impuissant à retenir son enfant irrésistiblement attiré par le chant des sirènes dissimulées derrière les récifs.

La pêche se fait au petit jour, sous un soleil clément, et le travail n'est jamais si ardu qu'il ne permette à l'homme de rêver ce qui pourrait être, si les choses n'étaient pas comme elles sont. C'est dans cet état de douce rêverie qu'un jour, en relevant mon filet, j'y vis un poisson beaucoup plus gros que ceux que je prenais d'habitude. Je crus d'abord que c'était un requin, puis un thon, mais c'était plutôt un animal de la famille des dauphins. À mon grand étonnement, la bête me pria de lui laisser la vie sauve, ce que je lui accordai sans hésitation, car elle était, de toute façon, trop lourde pour ma barque. Une fois sortie de mon filet, elle me remercia en promettant de revenir le même jour toutes les semaines de ma vie, jusqu'à ce que je manque, moi-même, au rendez-vous, et de m'apporter de l'or et de l'argent plus qu'il ne m'en faudrait.

Comme il ne me faut, pour vivre, ni or ni argent, je me dis que la bête se moquait de moi ou que j'avais rêvé. Mais la semaine suivante, alors que le soleil commençait à me brûler, je vis réapparaître la bête qui tenait dans sa gueule des colliers de perle ainsi que des chaînes d'or et d'argent. J'acceptai ces cadeaux qui venaient d'un cœur généreux et reconnaissant. Mais la chose se répétant aussi régulièrement que promis, je finis par m'en inquiéter et je m'enquis auprès de mon bienfaiteur, de la provenance de ce trésor apparemment inépuisable. Tout venait, m'assura-t-il, du fond des mers où il n'avait qu'à choisir parmi les bateaux qui avaient coulé au cours des siècles.

Pouvais-je exiger des preuves? J'aurais peut-être dû, mais je n'en fis rien. Ce qui pressait davantage, c'était de me débarrasser d'un trésor qui devenait gênant, car je dois avouer que j'avais peur que ma femme ne vît ce que je cachais et ne voulût recouvrir son corps d'or et d'argent comme une idole païenne. Je me souvins à temps d'un mien cousin qui habite Nassau et qui est dans les affaires. Je fis un petit paquet que je lui envoyai, en lui demandant de convertir ces objets en argent sonnant. Comment il s'y prit, je ne l'ai jamais su, ni ce qu'il obtint, mais il m'en restait assez pour que je lui fisse confiance et que je renouvelasse l'expérience. C'est ainsi que j'ai pu payer les études de mon fils qui les achève en Angleterre où il compte devenir un gentleman.

Ma bonne fortune attira l'envie d'un voisin qui me dénonça. La police trouva chez moi des bijoux semblables à ceux qui avaient été volés dans les hôtels d'Abaco. Cela suffit pour qu'on crût qu'il s'agissait des mêmes. Voilà comment une bénédiction, mal interprétée par la loi qui a des vues sur toute chose beaucoup trop étroites pour embrasser la réalité dans sa complexité, peut jouer contre celui qui se l'est méritée. Il y a, dans cet exemple, de quoi décourager un honnête homme de se porter au secours d'un inconnu.

Ce qui me chagrine, c'est qu'avec le rendez-vous manqué de demain, je rate l'occasion de remercier l'aimable bête à laquelle mon fils doit la réalisation de ses rêves, et qu'elle conservera de moi l'image d'un ingrat.

✢

On convint unanimement que les apparences jouaient fort contre le premier voleur et que, si les honnêtes gens qui formaient le présent auditoire le croyaient volontiers sur parole, il n'en serait probablement pas ainsi à l'heure de son procès.

Pendant que l'on méditait à haute voix sur cette première profession d'innocence, le second voleur laissa les autres converser et se prépara à parler. Comme il n'avait pas l'habitude d'être écouté, il ne savait pas quand les interrompre ni par où commencer. Il reprit donc la formule initiale du premier voleur.

«Écoutez... écoutez-moi, mes pairs, vous dire comment... comment j'ai été injustement accusé.»

Le silence se fit autour de lui, du premier voleur au dernier ressort.

«Je suis né, poursuivit le deuxième voleur, je suis né le dernier de cinq enfants. Notre père était un ouvrier qualifié.

— Un ouvrier qualifié! Ah! La belle affaire! Ces mains que vous voyez sont aussi celles d'un ouvrier qualifié, ce qui n'en fait pas moins l'outil de mes malheurs», coupa le troisième voleur qui ne pouvait pas respecter les règles de l'accord commun. On tenta de le faire taire, mais peine perdue.

Histoire du troisième voleur

Patience, je serai bref. Voici. J'ai un temps travaillé dans une scierie. Un jour — c'était fatal! —, j'ai eu une distraction qui m'a coûté les deux mains. À l'hôpital, plutôt que de coudre à mes bras nus les mains qui leur appartenaient, on m'a fait don de celles-ci, des mains de voleur qui exercent, malgré moi, le métier «spécialisé» qu'elles ont appris d'un autre. Je n'ai aucun contrôle sur elles et, honnête homme, je rougis de tous leurs crimes dont les plus récents m'ont conduit là où vous me voyez, plus malheureux qu'un innocent, car je ne le suis qu'à demi, ayant participé, quoique involontairement, à des méfaits que je trouve exécrables. Voilà, mes pairs, comment je suis condamné à être jusqu'à la fin de mes jours injustement accusé.

On examina les deux poignets, mais le chirurgien avait fait du si beau travail qu'on ne pouvait pas voir la moindre trace de son intervention. On plaignit le troisième voleur comme il méritait de l'être, puis on pria le deuxième de reprendre le fil de son histoire.

Histoire du deuxième voleur

Mon père était maître charpentier. Aussi étions-nous les plus mal logés du village, mais nous mangions bien, car ma mère savait varier mieux que quiconque la cuisson du poisson et des quelque trois ou quatre racines qui font la réputation des Îles. C'est de mon père que j'ai appris à utiliser l'amorçoir, le bec d'âne, la besaiguë, l'oiseau, l'ébauchoir, l'équerre, la gouge, la hache, l'herminette, le maillet, le piochon, le rossignol, la rouanne, la rubrique, le simbleau, la tarière, les tenailles, le traceret, le traçoir et le vérin, sans parler du marteau, du tournevis, de la petite et de la longue échelles. À douze ans, ces outils étaient mes jouets ordinaires. J'en usais aussi bien que mon père, ce qui faisait dire à ma mère que j'étais doué comme l'Enfant Jésus, mais, comme ce compliment me montait à la tête, mon père, pour me remettre à ma place, m'appelait son petit Christ.

À ceux qui faisaient remarquer à mon maître l'étendue de mes talents, mon père répondait que le progrès tenait à cela, que le contraire serait une aberration, qu'un bon maître se devait d'en savoir moins que son élève et qu'un bon élève devait faire avancer la science, en y apportant du nouveau de son cru. Mais, quand nous étions seuls, il me tenait un tout autre langage, les menaces remplaçant les louanges, et les coups de poings et de pieds, les coups d'encensoir. Il était d'avis que je l'humiliais par plaisir et que je tentais sournoisement de le ruiner pour m'établir à sa place. À force de le lui entendre dire, je finis par le penser, le croire et le vouloir. Mais avant qu'il ne décidât de me passer à la varlope et de remettre ma peau au tanneur, je fis mon baluchon et je m'enfuis de chez lui.

L'île étant petite, j'en fis vite le tour et, quand je la traversai, je m'aperçus qu'elle était déserte en son centre. Déçu comme seul on peut l'être quand on calcule que son univers n'est pas à la mesure de ses ambitions, je retournai au port et j'offris mes services au premier capitaine qui m'emmènerait loin de dunes de sable dont il n'y avait pas de quoi faire un château. Comme j'avais un métier, je me rendis indispensable. Et comme on avait besoin de moi, on cessa bientôt de m'appeler petit mousse et de me traiter en enfant.

D'une mer à l'autre, je découvris la terre et, avec le temps, je voulus m'aventurer plus avant que les ports, entrer dans les villes, traverser les campagnes, les forêts, les déserts. Sans mentir, j'ai fait le tour du monde et j'ai beaucoup appris, mais, après être allé, pendant des années, de merveilles en merveilles, il me restait à parcourir le labyrinthe du cœur humain. Car, ai-je besoin de vous le dire, tout ce qui est fait de la main des hommes ne vaut pas l'amour. Le destin me l'apprit en me jetant dans les bras d'une femme sans pareil qui aurait pu être déesse ou sorcière et qui devint mon amie. Ne pouvant voyager avec elle, j'appris ce que c'était que de vivre à moitié et de ne vivre que pour le temps passé auprès d'elle. Aussi, quand j'appris qu'elle n'était plus, je fus tout près de mourir à mon tour. Ce qui me retint, ce fut le petit chien qu'elle avait, qui lui témoignait beaucoup d'affection et qui m'aimait aussi, assez pour se traîner jusqu'à moi quand je le trouvai agonisant sur la tombe de sa maîtresse et de la mienne. Je l'emportai avec moi et le ranimai. L'air salin lui fit du bien; la vie de matelot lui plut; il me suivait partout et devint, en peu de temps, mon apprenti.

J'ai bien dit: mon apprenti. Car cette bête, qui comprenait tout ce que je lui disais, apprit bientôt le nom de chacun de mes outils, de sorte que je n'avais qu'à en prononcer le nom pour qu'elle me l'apportât. Étais-je en train de creuser une mortaise? Je disais: «Il me faut mon ébauchoir» et Valère — c'est son nom — m'apportait l'instrument. Bientôt Valère, prévoyant mes besoins, allait chercher la gouge, le maillet... tout ce dont j'avais besoin sans que j'eus à le lui demander. Il n'aurait pas pu faire le travail à ma place, mais il en jugeait la qualité et son jugement était sûr.

Ainsi secondé, j'aurais volontiers pratiqué jusqu'à ma mort un métier qui me plaisait, mais le progrès eut raison de moi et de mon apprenti. Je revins alors aux Bahamas, aussi pauvre que j'en étais parti, mais je n'étais plus seul.

Mon père, mort depuis peu, avait été remplacé par un charpentier plus à la mode. Je retrouvais ainsi mon pays, mais non pas les moyens d'y subsister. Après deux jours de jeûne, Valère comprit ce qui nous attendait, lui et moi, si nous ne trouvions pas un expédient. Débrouillard, il alla chercher dans les sacs de plage de quoi remplir son bol, mon assiette et mes poches, solution audacieuse à un problème épineux, mais tellement profitable que nous l'adoptâmes sans trop réfléchir aux conséquences. Je dois à Valère trois années de bien-être relatif. Ce qui y mit fin, c'est que la pauvre bête, en prenant de l'âge, perdit de la vitesse. On l'a rebaptisé Voleur et, comme je suis son maître, on me fait la même réputation qu'à lui.

On aurait aimé connaître Valère. On s'inquiéta du sort de cette bête exceptionnelle dans une île où il y a tant de chiens abandonnés qu'il est difficile de distinguer ceux qui ont du mérite de ceux qui n'en ont pas. Après avoir dit tout ce qu'il y avait à dire sur le sujet, on se tourna vers le quatrième détenu, car le silence en prison est accusateur et on préfère y dire ou entendre n'importe quoi plutôt que...

Avant de poursuivre le récit qu'elle se faisait à elle-même, Sam rouvrit les yeux, vit les menottes à ses poignets et sentit le gendarme à côté d'elle dans la voiture. Qui l'avait dénoncée? Et pourquoi? Quelqu'un l'avait-il vue? Aude avait déjà mis la police sur une fausse piste; elle ne récidiverait pas. Baba? Baba, qui pouvait être sa sœur... Elle aussi. *Elles ne me ressemblent pas l'une plus que l'autre, mais une femme doit-elle être nécessairement de la même pâte que ses sœurs parce qu'elles sortent du même four? Baba et Aude ont ceci de commun qu'elles tentent toutes deux de se rendre intéressantes et qu'elles ne font que gêner. Ce pourrait être un trait de famille que je n'ai pas hérité.*

«Mon Dieu que j'ai été stupide!» s'écria Sam qui, en voulant se cogner le front, leva le bras et donna un coup de coude dans les côtes du gendarme.

«*Watch what you're doing, you fucking queen!*

— Pardon, monsieur», fit Sam, se rappelant ce qu'une autre reine, Marie-Antoinette, avait dit au bourreau avant qu'il ne lui coupe la parole.

Pendant que le Chef rétablissait l'ordre dans la voiture, Sam revivait la scène au cours de laquelle elle avait supplié Santorini de lui revendre le poignard au manche d'ivoire. *Dire que je lui rendais un service et que tout ce temps j'avais l'impression que c'était lui qui me faisait une faveur!* Restait à savoir pourquoi l'ancien antiquaire avait tué le jeune homme en question. *Que faisait-il, nu, avec lui, sur une plage déserte?* La réponse à la deuxième question étant évidente, Sam joua un temps avec les morceaux du premier puzzle. Santorini avait été vu dans une situation compromettante. Photographié même. Aurait-il cru à un coup monté par le membre de l'équipage de La Serena pour le faire chanter? Se serait-il vengé? *Et puis, comment se sont-ils rencontrés?* Sam se rappela avoir vu Santorini avec Francisco Ratisboa, le propriétaire du yacht. *Amis?* Ils s'étaient disputés l'autre soir à l'Oasis. Au sujet du matelot? ou de quoi encore? *Je n'aurais jamais cru qu'on pût rouler si longtemps dans une île aussi petite,* pensa Sam, en refermant les yeux pour retrouver dans ses contes une liberté que la vie lui refusait.

+

Histoire de la nuit de prison de Sam
(suite et fin)

Après avoir dit tout ce qu'il y avait à dire sur le sujet, reprit Sam, qui s'était de nouveau appuyé la tête contre la portière et fermé les yeux pour retrouver la prison de Little Abaco, on se tourna vers le quatrième détenu, car le silence en prison est accusateur et qu'on préfère y dire ou entendre n'importe quoi plutôt que d'en subir le poids.

Le quatrième détenu, qui n'était pas voleur comme les trois qui avaient parlé avant lui, comprit que son tour était venu et qu'il lui fallait parler. Comme la lumière crue lui rappelait l'interrogatoire qu'il avait subi tout dernièrement et que ce souvenir lui était pénible, il demanda qu'on le laissât raconter son histoire de là où il était, dans le coin le plus sombre de la cellule. Tous se tournèrent dans sa direction en faisant grincer les ressorts et, comme on entendait bien sa voix qu'il avait chaude comme de la soupe aux poireaux et que c'était la voix seule qui comptait, on lui accorda sa requête, sachant que rien de bien ne vient de la contrainte.

«Écoutez-moi, mes pairs, vous dire comment j'ai été injustement accusé. Vous avez sans doute remarqué que je ne suis pas fumeur.»

Il empestait de tout et puait de partout, mais il disait vrai: il ne sentait pas la fumée de tabac.

«Pourtant, reprit-il, c'est au tabac que je dois d'être ici, en bonne compagnie — ce à quoi je ne m'attendais guère —, mais dans un lieu chagrin ordinairement peu propice aux conversations honnêtes.»

Histoire du trafiquant

Commençons par dire que je porte le nom de ma mère, celui de mon père ne m'étant pas connu. Comme on entoura mon enfantement de mystère, j'en déduisis très tôt que mon progéniteur était un homme de bien, peut-être même célèbre, dont ma mère cacha l'identité pour ne pas lui nuire, ce qui la servit, car, sans que je susse d'où nous venait la fortune, je constatai qu'il ne nous manquait jamais ni du nécessaire ni même du superflu.

Nous habitions une jolie maison qu'un jardin bien entretenu, souriant, agrémentait et parfumait, les fleurs comme les fines herbes y poussant en abondance. Il y en avait tant que ma mère en vendait au marché. Ce revenu, quand j'atteignis l'âge adulte, devait nous suffire, car mon père nous coupa les vivres, ou disparut, ou mourut, ce qui revenait au même quant aux conséquences.

La nécessité rend ingénieux les esprits même les plus simples, dès que le besoin se fait sentir. Ma mère repensa son jardin, arracha des racines et sema quelques herbes parmi celles qui se vendaient le mieux et le plus cher, fit, en un mot, si bien que nous fûmes bientôt plus à l'aise que du temps où elle était entretenue. Elle continua de vendre au marché. Je distribuai nos nouveaux produits de façon plus discrète.

C'était — croyais-je en toute innocence — du tabac, car on en récoltait comme si c'en était, on le faisait sécher et je le vendais comme tel à des clients qui le fumaient. Ce n'est qu'avant-hier qu'on m'apprit que seul le tabac importé pouvait être vendu aux Bahamas, que le mien, naturel, plus frais et plus pur que les saletés qui nous viennent d'Europe et des U. S. A., ne devait pas être cultivé dans nos îles. Pareilles lois découragent l'initiative chez les nôtres qu'on éloigne ainsi d'un commerce lucratif et qu'on maintient dans une médiocrité toute proche de l'indigence.

✢

Deux des trois voleurs se rappelèrent avoir fumé dudit tabac et l'avoir trouvé de qualité.

«Quelle tristesse! dit le premier. Nous élisons des députés qui, le plus souvent, ne font rien et, lorsqu'ils travaillent, c'est pour se mettre au service d'étrangers plus puissants et agressifs que nous. Notre pays doit être le seul à être ainsi gouverné par des vendus. C'est sans doute que notre capitale est isolée et qu'il y a, à Nassau, plus de touristes que de citoyens. On y oublie facilement ceux qu'on ne voit pas, trop éloignés du pouvoir pour se faire entendre.

— Mais, ajouta le second, le soleil est le même pour tous, et les plages, et la mer.

— Ce qui nous fait défaut, précisa le troisième, c'est la liberté pour en jouir.»

Qu'il est difficile, pensa Sam, *de se faire une raison quand tout ce qu'on voit et peut toucher, ce sont des murs et des barreaux! L'esprit s'évade, bien sûr, comme la colombe, mais, les ailes fatiguées, il revient aussitôt à l'arche, ne trouvant nulle part ailleurs où se poser.* Son tour était venu de tenter l'impossible, mais le dormeur, qui s'était réveillé au moment où commençait le dernier récit, voulut passer avant elle, parce qu'il était impoli. Sam, qui ne demandait pas mieux que de l'écouter, retourna s'asseoir sur le sommier qui lui servait de banc et se concentra comme elle avait fait jusqu'alors pour mieux retenir ce qu'elle entendait.

«Écoutez-moi, mes pairs, vous dire comment j'ai été injustement accusé. Comme je dormais tantôt, je n'ai pas entendu tout ce qui a été dit. Mais le dernier récit m'a paru assez étrange pour que je me fasse une petite idée de ceux qui ont précédé. Sachez que mon histoire n'est pas moins fabuleuse que les vôtres.»

✢

Histoire de l'ivrogne

Je suis né de parents pauvres mais honnêtes. Comme j'étais le premier garçon, on voulut rendre gloire à Dieu en donnant une fête à laquelle toute la famille et les amis seraient invités. Certains diront que cela était extravagant et que, quand on n'en a pas les moyens, on ne fait pas les choses en grand. Mais c'est mettre un gros pied dans un petit soulier que de regarder à la dépense quand l'occasion est si belle. Mes parents acceptèrent de se ruiner, sachant que la chute entre la pauvreté et la ruine n'est qu'un petit saut sans conséquence néfaste, les liens que l'on cimente, en recevant gaiement, dépassant de beaucoup les inconvénients d'une dette qu'on prend une vie à effacer. J'aimerais vous décrire les réjouissances qui durèrent une semaine, mais j'étais alors trop jeune pour en garder le souvenir et je préfère ne rien dire que de raconter ce qui pourrait passer pour mensonge et vantardise à vos yeux. Sachez toutefois que, dans mon village où on n'a jamais tant ri, tant chanté, tant mangé et tant bu depuis, on en parle encore.

Le dernier jour de cette semaine, un vent hors saison agita soudain les rameaux des palmiers. On sentit qu'il apportait avec lui un changement et, comme tout avait été jusqu'alors pour le mieux, on craignit le pire. Avec raison. Mes parents, qui avaient agi avec précipitation, n'avaient pas envoyé d'invitation à une tante de mon père, qui habitait l'autre bout de l'île. C'était une sorcière tellement malcommode que tout le monde la fuyait, préférant faire un long détour que passer devant sa cabane. Elle avait beau vivre dans l'isolement le plus total, elle avait — le diable sait comment! — eu vent de la fête que donnait son neveu et avait décidé d'y aller. Quand elle parut, tous les invités se signèrent en se sauvant chacun chez soi.

Ma mère, à ce qu'on m'a répété, l'accueillit en lui offrant à boire et à manger. Ma grand-tante, qui sentait le poisson parce que c'était tout ce qu'elle mangeait en temps ordinaire, vida les plats de viande et les fonds de bouteilles de vin rouge et de vin blanc. Maigre à l'excès, elle mangea ce jour-là pour quatre sinon pour cinq, sans qu'il y parût. C'était tellement extraordinaire que les parents et les amis qui avaient fui plus tôt revinrent, médusés par le spectacle de cet appétit qui ne semblait pas connaître de fin. Quand il ne resta plus rien que du poisson et des fruits de mer, elle leva la tête, ouvrit la bouche et rota de satisfaction, ce qui mit tout le monde à l'aise.

Mon père, rassuré comme les autres, commit la maladresse de s'excuser auprès d'elle. Ses excuses, qu'il avait voulu simples, se compliquèrent, devinrent pénibles. Plus il s'empêtrait dans ses mensonges, plus il sentait sur lui le regard de sa tante lui torturer la conscience. Quand elle lui dit, sur un ton mielleux que démentait le feu glacial de ses yeux jaunes, qu'elle voulait voir le cher petit, mon père se mit à trembler pour moi.

Ma mère, croyant la désarmer en satisfaisant aussitôt sa juste curiosité et en lui laissant voir comme j'étais un bel enfant, me sortit de mon berceau et, comme je commençais à m'agiter, m'offrit le sein pour me faire tenir tranquille. Tout le monde s'attendrit sur un si charmant tableau, sauf ma grand-tante qui siffla: «Tu as soif, mon petit? Eh bien! bois! vide-moi ce sein!» C'est ce que je fis, mais si rapidement qu'on vit le sein se dégonfler. J'avais, quant à moi, le ventre si plein et la peau si tendue que j'ouvris la bouche pour crier de douleur. Il n'en sortit que du lait. La méchante femme, qui n'avait pas fini, me lança alors cette malédiction: «Ce mauvais buveur, dès qu'il aura du poil au menton, sera saisi d'une soif inassouvissable qu'il tentera d'apaiser en prenant de l'eau qui, en touchant son palais, se changera en vin.»

Pour mon plus grand malheur, cette malédiction s'est réalisée. Tous les matins, je me réveille assoiffé. Je ne bois que de l'eau, mais toujours cette eau se change en vin. Plus je bois, plus j'ai soif. Et je bois tous les jours jusqu'à m'en rendre malade. C'est ainsi qu'innocent comme au jour de ma naissance je subis les humiliations des coupables.

L'histoire de l'ivrogne, accueillie comme celle des autres, avec autant de compassion que d'intérêt, mena à une longue discussion sur l'ancienne habitude que l'on a de faire tomber sur la tête des enfants les fautes des parents.

La voiture du Chef de police ne s'était pas arrêtée près de l'aéroport, fermé à cette heure-ci, et, contrairement à ce qu'avait rêvé Sam dans un état de demi-conscience, roulait en pleins phares, sans hâte, plus loin, au delà même de Cooper's Town, vers le bout de l'île. Ce qui avait été route publique devint, sans transition, semblait-il à Sam, chemin privé. Plutôt que de s'arrêter net, cela tournait sur soi-même autour d'une fontaine qui dormait comme tout le reste.

La lune éclairait une maison dont les murs aveugles étaient en demi-cercles comme des absides, deux à droite, trois à gauche d'une entrée toute en verre. *Ce n'est certes pas une prison ordinaire*, se dit Sam qui venait d'en imaginer une plus sobre. *Où suis-je?* Sa portière s'ouvrit. Sam sortit de voiture, mais, en sortant, elle perdit ses menottes qui lui glissèrent des mains comme des bracelets trop grands. Le Chef, qui la précédait, pitonna trois chiffres sur la serrure de la porte qui s'ouvrit à ce «Sésame» électronique comme celle de la grotte des Quarante Voleurs. Aussitôt les lumières du hall d'entrée s'allumèrent.

«Vous avez perdu vos menottes, remarqua le Chef.

— C'étaient les vôtres et non les miennes qui sont toutes petites», rectifia Sam.

Elle avait, en effet, des mains de souris. Curieux, le Chef les saisit pour les examiner de plus près.

«C'est une erreur de la nature, expliqua Sam. Voyez: je n'ai pratiquement pas de muscles dans les mains et, par conséquent, pas de force. Ces mains, qui n'arrivent pas à ouvrir un pot de confiture, n'auraient jamais pu étrangler deux adolescentes ni poignarder un matelot en parfaite santé. Il faut bien se rendre à l'évidence.»

Le Chef, qui n'avait jamais pris au sérieux les accusations portées contre elle, jugea inutile de continuer de jouer la comédie en lui remettant les menottes.

«J'allais vous les enlever, dit-il simplement. Vous êtes ici chez moi. Vous y passerez la nuit, plus en sécurité qu'à l'hôtel.

— Que voulez-vous dire?

— Vous le savez tout aussi bien que moi.»

Sam était perplexe. Que savait cet homme décidément plus sensible, intelligent et mystérieux qu'elle l'avait d'abord cru? Que savait-elle, elle-même? Elle aurait voulu des précisions, mais la fatigue l'emportait sur sa curiosité. Elle réprima un bâillement qui lui fit glisser la moitié gauche du visage vers le bas.

«Je vous conduis à votre chambre.»

C'était une chambre ronde avec, au centre, un lit de la même forme. Sur une des tables de chevet, il y avait un verre et une carafe. Du cognac? De l'armagnac? Sam ne savait pas distinguer l'un de l'autre. Elle s'en versa deux doigts, qu'elle huma par habitude, et but pour se détendre les nerfs qu'elle avait en boule. *Jamais*, pensa-t-elle, *je ne pourrai dormir de la nuit*, car elle n'avait pas avec elle *Les Mille et une nuits* qu'elle lisait chaque soir avant de fermer la lumière. Mais à peine avait-elle vidé son verre qu'elle se sentit envahie d'une étrange lassitude. Sam se dit, pendant qu'elle avait encore la force de réfléchir, qu'on l'avait droguée, peut-être même empoisonnée. Si tantôt elle avait craint de ne pouvoir s'endormir, elle avait peur maintenant de ne pouvoir se réveiller. Toute résistance étant vaine, elle se laissa tomber, impuissante, sur le lit.

Durant le peu de nuit qu'il restait, Sam fit trois rêves.

✣

Premier rêve de Sam

Le soleil pleuvait des langues de feu.

Debout dans un décor sans ombres, Sam se laissait pénétrer par leur chaleur. C'était bon, comme tout ce qui est équivoque, mais cela cessa bientôt de l'être. *J'ai chaud,* réalisa-t-elle. *Mais où trouver une oasis dans cette fournaise?*

Sam choisit une direction et suivit son idée. Péniblement. Le sable lui brûlait la plante des pieds et elle poussait des gémissements. «Je suis cuite, cuite, cuite», pépia-t-elle. Comme elle ne voyait rien, elle imagina que ses yeux fondaient dans leur orbite comme des noisettes de beurre. Elle se frotta les paupières pour se prouver qu'elle en avait. Elles se détachèrent et tombèrent comme des écailles. Un vent chaud lui souffla du sable dans les yeux. Elle avait de plus en plus de mal à mettre un pied devant l'autre, tant le sable était fin. Elle enfonçait, de fait, plus qu'elle n'avançait.

Pourtant, tout près d'elle, des chameaux galopaient. Elle fit des signes. Mais la caravane passa sans qu'on l'aperçût. *Les chameaux!* La chaleur lui donnait soif. La gorge parcheminée, elle respirait avec peine. Chaque fois qu'elle ouvrait la bouche, elle s'emplissait de sable. *J'ai chaud et j'ai soif,* constata-t-elle.

«Je prendrais bien un verre d'eau glacée», commanda-t-elle au garçon de table qui lui servit une soupe brûlante. Il y flottait des choses que Sam ne reconnaissait pas. Elle y trempa sa cuiller qui disparut dans un bruit de déglutition. Sam renversa la table. Du bol sortit une mauvaise langue qui glissa sur le plancher comme une sangsue.

«Une cruche d'eau!» cria Sam qui crut reconnaître un quartier de Rome, à cause des fontaines qui y coulaient. *J'ai mon affaire,* se dit-elle. Mais quand elle tendit la main, l'eau fraîche se changea en encre. *Ça ne fait rien, j'ai horriblement soif.* L'encre se pulvérisa en touchant ses lèvres. *Il faut tout de même qu'il y ait de quoi boire ici, sinon il n'y aurait personne.* Sam s'aperçut qu'elle était seule. *Ce doit être l'enfer,* pensa-t-elle à cause de la chaleur, *ou bien une épreuve.*

Elle se trouvait maintenant dans un laboratoire surchauffé. Le long d'un mur, il y avait des centaines d'éprouvettes, chacune portant la même étiquette: SUC GASTRIQUE. C'étaient de petits estomacs qui mâchaient leurs maux. *Ne te fais pas de bile,* se dit Sam qui jaunissait. *Là où il y a des robinets, il doit y avoir de l'eau.* Chaud. Froid. Chaud. Froid. Elle tournait tout ce qui lui tombait sous la main, dans un sens et puis dans l'autre, sans résultat.

«Je suis triple sec, s'excusa Sam, nue, devant l'hôtel de ville.

— 9-1-1!» cria une touriste manitobaine, dans un français approximatif.

Pourvu que les pompiers arrivent les premiers...

Des pigeons envahirent la place. On ne vit bientôt qu'eux. Des gris, pour la plupart, et quelques blancs prétentieux qui se prenaient pour des colombes.

Je suis recouverte de pigeons. Comme un monument. J'ai des plumes jusque dans la bouche; on m'emplume et je me remplume. Elle aurait voulu chasser les pigeons, mais elle n'arrivait pas à bouger. *J'ai soif de vivre et je n'essuie que des déboires... Sam, tu verses dans la mélancolie,* jugea-t-elle, en regardant une carafe vide se pencher au-dessus d'un verre à pied. *Je suis la statue de moi-même. On m'a coulé dans un sommeil de plomb. Je dors. Je dors.*

✢

«Je dors, marmonna Sam, en se réveillant. Quelle nuit!»

Elle se leva, prit deux verres d'eau et se recoucha aussitôt, pendant qu'à l'extérieur Little Abaco subissait le premier assaut de la tempête qu'avait annoncée Sam. «*To sleep. Perchance to dream*», récita-t-elle, pour tenter le destin.

✢

Deuxième rêve de Sam

Sa tête avait à peine touché l'oreiller de satin blanc, que Sam, de nouveau endormie, entendit le bruit d'une chute d'eau qui, dans son rêve, la réveilla tout à fait.

«Un bruit de vagues, passe encore», murmura-t-elle, préférant, aux heures d'angoisse, penser tout haut pour chasser les mauvais esprits, s'il y en avait, et pour remplir le vide avec sa propre voix, ce qui était cent fois plus rassurant que d'entendre des bruits qui ne venaient pas d'elle et de suivre des ombres dont aucune n'était la sienne, en un mot de s'abandonner corps et âme à la peur du non-vu sinon de l'invisible. «Mais une chute à Abaco?»

Ce pouvait être une douche. Sam s'approcha du mur. La douche, si c'en était une, était audiblement de l'autre côté. Mais où exactement? Sam fit le tour de la chambre, l'oreille collée au mur. Le bruit était partout le même. Et, ce qui lui parut le plus étrange, c'était qu'elle n'avait rencontré sur son parcours ni portes, ni fenêtres, ni rideaux. Le mur était lisse. Parfaitement. Elle recula, tenta de retrouver le lit, mit le pied dans un trou, se ressaisit à temps pour ne pas tomber à la renverse, fit un pas en avant, un deuxième, rencontra un second trou. «Dans ces conditions, mieux vaut, se dit-elle, se mettre à quatre pattes.» Le plancher semblait percé comme une passoire. Rendue au mur, Sam sentit qu'il était mouillé. Elle laissa l'eau couler sur sa main. Elle était tiède. C'était agréable. Elle y prit même plaisir, frottant sa main sur la paroi lisse comme de l'émail. «Je suis dans un urinoir», déduisit-elle. Et, pour en sortir, elle tenta de le dire à voix haute, en détachant chaque syllabe. Mais sa main restait collée au mur et aucun son ne sortait de sa bouche.

«*If you're a man, piss like a man, you fucking queen!*»

C'était une voix méchante. Cruelle. Une voix qui sonnait faux. Amère sans raison.

Sam s'accroupit pour se relever, répondre, se défendre. Mais ses genoux demeuraient pliés, comme si un poids écrasant la maintenait sur ses talons. Et maintenant elle avait envie. L'eau continuait de couler. Il fallait qu'elle se levât, mais le moindre mouvement eût déchiré sa vessie.

La voix la harcelait. Toujours le même refrain. Toujours la même envie. L'eau coulait plus fort. La chute grossissant emporta Sam. *L'imbécile a activé la chasse d'eau,* pensa-t-elle. *Je vais me noyer. Mais, si je dois mourir, je mourrai debout.* Le niveau de l'eau montait. Le courant augmentait. *Je ne touche plus le fond,* se rendit-elle compte. Elle nageait entre deux eaux avec tellement de vigueur que bientôt *ses bras furent exténués, et ses épaules fatiguées, et qu'elle était anéantie.* «Si seulement je pouvais uriner... Pourquoi pas?» Mais comme elle allait se libérer, elle se rendit compte qu'elle était seule sur le plateau principal de l'École nationale de théâtre devant un vaste auditoire qu'elle ne voyait pas, mais qu'elle entendait rire de l'autre côté, non pas des feux de la rampe, mais d'une rangée de petites fontaines dont le jet ne montait qu'à hauteur de ses genoux. *Suis-je amusante ou ridicule?* se demanda-t-elle, ne sachant pas quel rôle on lui avait réservé. Alors elle releva la tête, dans un geste de défi, et se dirigea vers les coulisses, côté jardin.

Les coulisses donnaient sur un véritable jardin où il n'y avait que des allées bordées de fontaines dont tous les jets semblaient dirigés sur elle. *Je peux,* se convainquit-elle, leur répondre *du flac au flac.* Mais au bout de chaque bras, elle avait des sabots. Impossible de sortir de son costume d'âne. *Tant pis, je m'accroupis et je fais dans mon costume,* résolut-elle.

«*If you're a man, piss like a man, you fucking queen!*» reprit la même voix, mais plus fort.

«Je ferai comme je veux, répondit-elle. Mais avant, je vais te plumer, sale poulet!»

Sam se lança à la poursuite de l'agent provocateur qui ne se retourna pas pour ne pas qu'elle reconnût sa mine de bandit. *Une mine de plomb*, précisa-t-elle. Mais elle dut bientôt abandonner la course, car elle avait trop envie. Son ventre lui faisait mal. Elle était, de toute façon, au bord d'une falaise et ne pouvait aller plus avant. *C'est un bon endroit*, songea-t-elle, se rappelant avoir toujours eu envie de pisser de si haut au-dessus du vide que, lorsqu'elle aurait fini, son urine n'aurait pas encore touché le sol. Mais, dès qu'elle se fut installée, un vent s'éleva dont la force était telle qu'elle dut s'accrocher aux herbes pour ne pas être précipitée.

«C'est *l'aquilon* qui me mène, mène, mène...» se mit-elle à chanter.

✢

Cette variante de la chanson populaire la fit rire et sortir tout à fait de son rêve, au moment même où elle allait tomber du lit.

«Il était temps», jugea Sam qui se leva aussitôt, oubliant tout aussi vite le rêve qu'elle venait de faire.

Dehors, la tempête avait passé au-dessus de l'île. Quelques gouttes de pluie fermaient la marche en tambourinant sur les toits et les palmiers.

«Je ne me rendormirai jamais», pensa-t-elle, en se recouchant.

Mais le sommeil qui se moque de nous tous, jeunes et vieux, sains ou malades, s'empara de tous ses sens et l'abandonna à elle-même, insensée.

+

Troisième rêve de Sam

Dans ce troisième rêve, Sam s'entendit dire que sa mère aurait dû la réveiller à 7 h.

«Mais il n'est pas encore 7 h, protesta sa mère, en tournant la tête dans la direction de son réveille-matin.

— Il faudrait que je me lève... lave la tête.

— Vas-y. Qu'est-ce qui t'en empêche?

— On n'a pas d'eau chaude.

— Fais comme tout le monde: lave-toi à la mer.»

Pour s'y rendre, il fallait d'abord s'habiller. Sam ouvrit tous les tiroirs de sa commode tellement pleins qu'elle ne trouvait rien.

Sa mère s'était levée et faisait comme elle. L'embêtant, c'était que les deux commodes, identiques, se trouvaient chacune le long d'un mur du même coin de la chambre de sorte que, lorsque l'une ouvrait un tiroir, l'autre devait fermer le sien qui se trouvait à la même hauteur.

«Le fais-tu exprès, maman, pour me retarder?

— Tu manques de cœur de le penser et de politesse de le dire.»

Maintenant, elle refermait systématiquement les tiroirs que Sam ouvrait et, comme la mère était aussi vite que la fille, Sam n'avait pas le temps d'en sortir quoi que ce fût. Sa mère, triomphante, riait d'elle aux éclats.

«Où sont mes bobettes?

— Là où elles ont toujours été: dans le tiroir du haut.»

Le tiroir était plein de papiers d'emballage et de découpures de journaux. Mais le tiroir était très profond. Sam y entra comme une souris et chercha sous la montagne de papier.

Sam se retrouva dans une grotte. La mer se faisait entendre tout près.

«J'ai ce qu'il me faut.

— Tu devrais enlever ta montre.»

Sam la retira, s'aperçut que les aiguilles indiquaient 7 h, se dit qu'elle n'aurait jamais le temps de se laver. Sa mère lui objecta qu'elle se mettait des idées dans la tête.

«Tu as de l'argent?

— J'ai des billets canadiens.

— Il faut des dollars américains ou des pesos mexicains.

— Tu en as, toi?

— Bien sûr, que j'en ai.

— Tu peux m'en donner?

— Tout ce que tu voudras. Attends un peu, je vais aller en chercher.»

Sa mère disparut. Le temps passa.

«Maman, maudite folle! Où est-ce que tu t'es cachée?

— C'est toi qui es folle!»

Elle entendit le rire maniaque de sa mère, mais elle ne la voyait nulle part. C'était sans importance.

Sam se retrouva sur le boulevard René-Lévesque marchant dans la direction de la gare Centrale. Chaque fois qu'elle passait devant un arrêt d'autobus, elle se retournait pour voir s'il en venait un. Il y avait de tout sur le boulevard, mais pas de bus. Mais dès qu'elle reprenait sa marche, un bus la doublait dans un nuage d'oxide de carbone, en faisant beaucoup de bruit et en frappant toutes les voitures qui disparaissaient dans un éclair.

«Je vais rater mon train», se lamenta Sam, au moment où elle prenait l'escalator qui s'arrêta aussitôt qu'elle mit le pied sur la première marche. Rendue au niveau des snacks, elle tenta d'accélérer le pas, mais les deux valises qu'elle portait prenaient de l'ampleur et du poids de sorte qu'elle n'arrivait pas à se frayer un chemin dans la foule.

La queue où elle se trouvait maintenant n'avançant pas, elle demanda à la personne devant elle pourquoi on ne bougeait pas.

«Parce que nous sommes à *Mortréal*», répondit-elle.

C'était un squelette.

Sam vit de loin le numéro du quai qu'elle cherchait. Elle suivait une jeune dame en tailleur qui se retourna, en l'apostrophant:

«Ne me suivez pas de si près! Je ne vous le dirai pas deux fois. Ne me suivez pas de si près!

— Je vais rater mon train», implora Sam.

Mais la dame, qui prenait toute la place et qui ralentissait le pas par malice, lui répondit:

«Moi, je ne vous raterai pas!»

Sam ne sentit pas la bourse lui redéfinir les traits les plus saillants du visage, mais elle vit des constellations qui lui firent comprendre qu'elle était encore plus loin de son profit que plus tôt.

Le soleil s'était glissé entre les rideaux et venait chercher Sam dans son lit. C'était aveuglant.

Quelle nuit! Je me lève plus fatiguée que je ne l'étais quand je me suis couchée. C'est pourtant une chambre de rêve, convint-elle, mais on n'y dort pas. De fait, on ne dort bien que chez soi et, pour mon plus grand malheur, je voyage tout le temps.

Fin

L'artiste véritable ne se demande jamais si l'histoire
a déjà été racontée, il s'occupe de la revivre;
et il ne peut le faire s'il n'est pas convaincu
qu'elle lui offre une occasion de s'exprimer.
Anaïs Nin, *Journal 1931-1934*

«Vous jouez un jeu dangereux, prévint le Chef de police.

— Ah, oui? Lequel?

— Vous jouez au détective et vous ne connaissez pas les règles du jeu.»

Sam s'avoua à elle-même, sans en laisser rien paraître, que le policier avait raison. Mais, raisonna-t-elle, ce n'est pas parce qu'on ne sait pas comment battre les cartes qu'on n'a pas le goût de jouer au poker.

«Deux jeunes filles ont fait comme vous et elles sont mortes.

— Elles étaient aussi sottes l'une que l'autre. Ce n'est une perte pour personne.

— Vous n'avez aucune pitié pour elles?

— Pourquoi en aurais-je? Les morts ne me font pas pitié. Il y a trop de vivants qui souffrent pour que je m'apitoie sur les disparus.

— Vous les connaissiez?

— Assez pour les avoir remarquées. À cause de leur rire. Contagieux. Pourquoi dit-on "contagieux"? Rire serait-il une maladie? Je prendrais bien un autre café.

— Mais volontiers, Madame.

— Sam.

— Ne serait-ce pas plutôt «Emma»?

— Aude... À vous aussi, elle a raconté son histoire dans la version revue et corrigée récemment par sa mère. Ça l'a tellement bouleversée, la pauvre, que depuis, chaque fois qu'on lui en donne l'occasion, elle la reprend sans en changer le moindre élément, non pas parce qu'elle dit vrai, ce serait trop simple, mais par manque d'imagination. Et vous, vous l'avez crue.

— Je n'aurais pas dû?

— Elle est attendrissante avec son histoire de petite sœur abandonnée, hein?

— La petite Emma.

— C'est le nom qu'elle lui donne, en effet. Le mien, je vous le rappelle, c'est Sam.

— Un nom ambigu.

— Comme moi.

— Pourquoi...?

— Pourquoi je me fais passer pour un homme qui imite les femmes, alors que je suis un peu le contraire? C'est une longue histoire. Vous voulez la version Scheherazade ou Sam?» proposa-t-elle, prenant goût à cette conversation. À cause des feux qui venaient de s'allumer dans les prunelles qui suivaient les mouvements de ses lèvres.

«Puisque c'est avec Sam que je déjeune...

— Dommage. Scheherazade dit les choses tellement mieux que Sam qui ne vous ferait qu'une banale déposition.

— Alors allons-y pour le conte.»

✢

Histoire de Camomille (début)

Il était une fois, dans une ville que le simoun a effacé de la face de la terre depuis si longtemps que son nom s'est perdu avec elle dans les dunes, une princesse d'une beauté légendaire qui, pour maintenir sa peau blanche, ne se nourrissait que de riz bouilli, parfumé de pétales de roses. Quoiqu'elle ne sortît jamais, la réputation de Camomille s'étendit bien au delà des murs de la cité pour atteindre les villes voisines et même les régions les plus éloignées de l'empire du sultan. C'est ainsi que le redoutable Sassatrap, général Mongol, se mit à désirer cette femme aux vertus si rares qu'on en parlait sans même l'avoir connue.

Sassatrap se frotta la tête de graisse de coq

ayant mis cent poules à pondre, se parfuma la barbe de jus d'ail, chaussa des bottes de peau de tigre et, après s'être recouvert d'une tunique de la soie la plus fine, fraîchement arrivée de Xian, partit accompagné de cent soldats choisis parmi les plus vigoureux et les plus poilus de son armée. Ils empruntèrent la route de Bagdad et, dès qu'ils furent éloignés d'une lieue de la dernière maison du pays, ils se mirent à chanter des chansons grivoises parce qu'ils avaient le cœur en fête et qu'ils ne se sentaient pas surveillés.

Arrivés à Bagdad, ils se reposèrent si longtemps qu'ils s'en fatiguèrent. C'est alors que les feux du désir se rallumèrent dans les prunelles de Sassatrap qui se remit en route dans la direction de la Ville Oubliée, qui, apprit-il, n'était plus qu'à deux semaines de distance.

+

«Je crois, interrompit le policier, que je préférerais entendre la déposition de Sam.

— J'entends, mais je n'obéis pas, même si *les sages nous recommandent la brièveté dans nos discours*. Une fois partie...

— ... il n'y a plus moyen de vous arrêter.

— C'est comme vous dites et que le croyait Sassatrap.»

✢

Histoire de Camomille (suite)

Or le destin se moque de nous dès que nous croyons tenir les rênes de notre vie. Mais laissons, pour l'instant, dans le désert plus trompeur qu'une demi-lune, Sassatrap et ses hommes, le visage ruisselant de graisse de coq, et allons retrouver la princesse Camomille.

Dans la Ville Oubliée où l'on avait reçu des nouvelles de Bagdad, on attendait, dans la confusion la plus totale, l'arrivée du barbare. La princesse, voulant éviter aux habitants le sort des conquis, ordonna qu'on ouvre toutes grandes les portes de la ville et qu'on pavoise les rues. La détresse commune se prit au jeu et l'on n'entendit plus, dans tous les quartiers, que des conversations joyeuses et des chansons. La princesse rassembla alors cent esclaves parmi les plus belles et les mieux faites, leur confia tout ce qu'il lui restait de riz et de pétales de roses et sortit de la ville pour aller à la rencontre de Sassatrap et l'adoucir avant qu'il ne saccage tout sur son passage comme font les hommes en voyage.

Mais, dès qu'elle cessa de voir les murs de la ville, elle changea d'idée et ordonna qu'on s'éloignât le plus que l'on pouvait de la route de Bagdad. Elle n'avait pas fait une lieue dans cette direction que le vent s'éleva avec tant de force qu'on ne distingua bientôt plus ce qui appartenait au ciel de ce qui revenait à la terre. La tempête dura des heures. Quand le vent tomba, toutes les dunes s'étaient déplacées à la façon des serpents.

Le simoun avait aussi sablé Sassatrap et ses hommes et rendu rose et tendre la peau de leur visage sur lequel il ne restait aucune trace de graisse de coq ni de jus d'ail. Décapés et rajeunis, ils se remirent en route, car ils avaient soif et il ne leur restait que peu d'eau.

Le hasard fit que, quatre jours plus tard, Sassatrap aperçut la caravane de Camomille. Quand Zobéi, la confidente de la princesse, comprit que le barbare approchait et que ses intentions, même honnêtes, ne pouvaient qu'être néfastes à sa maîtresse, elle lui proposa de se déguiser en homme et d'en jouer le rôle, de peur qu'il ne la cueille comme une fleur, sans lui demander son avis. Ce sont cette prévoyance et cette supercherie qui sauvèrent la princesse du sort commun car, après avoir fait une cour fort brève aux femmes de sa suite, les hommes de Sassatrap leur demandèrent de brosser leurs chameaux, ce qui était, selon l'usage de leur pays, la façon de leur faire entendre qu'elles leur plaisaient et qu'ils leur faisaient confiance, en un mot, qu'elles étaient leurs femmes, sinon pour toujours, du moins pour la durée du voyage, comme cela se voit encore quand on fait une croisière.

✢

«Si vous vous mettez à faire des rapprochements entre les diverses péripéties de votre conte, déjà fort long, et la pratique courante, vous n'aboutirez jamais.

— Avez-vous si hâte d'en connaître la fin?

— Hé, oui! J'aime qu'une histoire qu'on a commencé de me raconter ait une fin.

— Et que la fin vienne aussi vite que possible... La chambre dans laquelle vous m'avez enfermée pour la nuit me laissait croire qu'elle était celle d'un homme plus sensuel, car ce n'est pas une chambre pour dormir.

— Vous n'avez pas dormi?

— Je ne voulais pas vous le dire.

— J'en suis désolé, croyez-moi.

— Vous n'y êtes pour rien: j'étais sur les nerfs. Je suis sensible, vous savez.

— Nous sommes faits pour nous entendre: je le suis également. Alors, par pitié pour mes nerfs, allez-vous bientôt terminer votre conte?»

✢

Histoire de Camomille (fin)

Sassatrap, reprit Sam qui surveillait de plus en plus près les flammes qu'elle alimentait dans les prunelles du Chef de police, s'était à peine mis à table, qu'il réclamait le dessert: la princesse

Camomille. Quand il apprit que la princesse n'était pas du nombre des captives, il se mit en colère et jura qu'il arracherait les yeux de la première personne qui entrerait sous sa tente.

Quand on répéta à la princesse le serment que venait de faire le barbare, elle se leva et se dit que, si quelqu'un devait subir ce châtiment, c'était bien Zobéi qui l'avait si mal conseillée dans cette affaire, mais, comme elle était princesse, elle ne dévoila pas sa pensée.

«J'irai», dit-elle simplement.

Zobéi l'accompagna comme elle en avait l'habitude.

Même sous son déguisement, Camomille ne pouvait pas ne pas attirer l'attention. Sassatrap subit aussitôt son charme, se calma, renonça au plaisir de lui racler les orbites, se troubla comme un adolescent, voulut lui faire un compliment, dit une bêtise que personne heureusement n'entendit, l'invita d'un geste de la main à s'asseoir auprès de lui. Camomille lui rendit son salut mongol et prit la place qu'on lui désignait. Zobéi la suivit et se tint debout derrière elle.

Le barbare et la princesse échangèrent à voix basse quelques banalités. Les conversations reprirent autour d'eux. Pour ne pas que Sassatrap se mît des idées dans la tête, Camomille parlait beaucoup. Plus elle parlait, plus se répandait autour d'elle un parfum de rose tout nouveau pour Sassatrap qui, habitué à l'odeur des chameaux et des hommes qui les accompagnent, éprouva un tel malaise qu'il dut quitter la tente. Sassatrap comprit qu'il ne pourrait jamais s'approcher davantage de cette personne qui le fascinait. Quand Camomille l'alla rejoindre, il la pria de ne pas lui parler car son haleine, précisa-t-il, empestait tant qu'elle l'indisposait.

Un peu blessée par *ces brutalités de langage*, mais tout à fait rassurée, Camomille abandonna son déguisement, mettant dorénavant toute sa confiance dans le pouvoir de la parole pour éloigner d'elle Sassatrap et ses hommes qui ne surent jamais si ce personnage ambigu, qui empestait à leur nez, était un jeune homme déguisé en femme ou une femme qui s'était déguisée en homme.

«C'est tout?

— Trop bref maintenant? Vous me rappelez cet homme qui avait demandé au coiffeur de ne pas lui couper les cheveux trop courts ni de les lui laisser trop longs.

— Et qu'arriva-t-il à cet homme?

— Je vous le raconterai une autre fois, car je vois une voiture qui approche. Ce doit être vos hommes venus vous chercher.

— La journée commence.»

+

À l'hôtel, ce matin-là, on ne parlait que de l'arrestation de Sam. Aussi fut-on bien étonné quand on l'aperçut descendant de la voiture du Chef de police, souriante, comme si elle entrait en scène. La plus étonnée fut Baba.

«Vous ne vous attendiez pas à me revoir si tôt, hein?»

Elle n'eut pas la force de mentir ni celle de lui dire qu'elle ne l'avait jamais vraiment crue coupable. Mais elle trouva le moyen de se défendre de l'avoir dénoncée.

«Je crois savoir qui a fait cela.

— Qui?

— On en reparlera plus tard. Racontez-moi d'abord ce qui s'est passé à l'hôtel, en mon absence.

— En commençant par...

— Ted.

— On l'a relâché.

— Qu'est-ce que je vous avais dit? Dans quel état est-il?

— De toute évidence, on n'a pas été tendre avec lui.

— Racontez-moi tout, sans ne rien omettre. Cela me fera mal, mais j'ai besoin de savoir.»

Baba entra dans une description qui n'allait nulle part car, à la vérité, Ted ne portait aucune marque de ses heures passées au poste, à part une légère fatigue qui se manifestait par de fréquents bâillements. Pour bien faire, il aurait fallu inventer, mais Baba y renonça en voyant le doute et la distraction se disputer les traits du visage de Sam qui imagina bientôt Ted nu, ligoté, obligé de garder des positions intenables alors que trois ou quatre tortionnaires professionnels rivalisaient d'ingéniosité pour le faire souffrir sans laisser de traces durables.

«Baba, coupa-t-elle impatiente d'en finir, j'ai besoin de vous car il faut faire vite. Occupez-vous de M. Ratisboa. Faites-le parler. J'ai l'impression qu'il détient la clef de ce mystère et qu'il vous la donnera si vous savez vous y prendre.

— Vous en doutez?

— Rappelez-vous qu'il est espagnol.

— Un homme, c'est un homme.

— Mais un Espagnol, c'est avant tout un Espagnol. Vous pigez?

— Oui, oui. Enfin... euh...

— Pour l'intéresser à vous — et je ne parle même pas de le séduire —, il vous faut être voluptueuse mais sèche, galante mais réservée, forte mais fragile, et surtout exagérée mais avec réserve.

— Je vois. Ne vous inquiétez pas. Je saurai bien lui faire perdre la tête et lui faire dire tout ce que je veux entendre. Et vous, pendant ce temps?

— Je vais tenter de distraire Santorini.

— Pour quelle raison?

— Plus tard. Je vous dirai tout plus tard.

— Vous ne me dites jamais rien. Vous ne me faites pas confiance.

— C'est que le temps presse.»

Baba n'aimait pas qu'on la traite en enfant et qu'on lui donne des ordres. Non mais, pour qui Sam se prenait-elle? Une vendeuse de produits cosmétiques dans une pharmacie vaut bien une comédienne de cabaret! Voilà ce qu'elle pensait. Mais elle garda son amertume pour elle et l'avala comme un remède contre l'humiliation qu'on lui faisait subir.

Quand on la revit près de la piscine, elle portait une fleur d'hibiscus rouge derrière l'oreille et un paréo autour des reins. C'était plus qu'il ne fallait pour repousser Ratisboa qui n'hésita pas une seconde à fuir, laissant derrière lui Santorini que ce déguisement amusa. Il lui sourit en l'invitant à prendre une chaise longue sous le même parasol que le sien. C'est là que les vit Sam qui passa derrière eux assez lentement pour entendre Baba s'épancher en répandant les dernières nouvelles:

«Vous savez qu'on l'a libérée? Ce matin. Ne me regardez pas comme cela: c'est comme je vous dis. Je l'ai vue. À l'hôtel. Je lui ai parlé comme je vous parle.»

Baba, qui n'arrivait pas à enfiler deux phrases quand Sam la questionnait, se livrait avec aisance et naturel à Santorini qui n'aurait pas pu placer un mot entre ses confidences, l'eût-il voulu.

Comme il n'y a rien à espérer d'une femme qui se laisse griser par un homme, Sam haussa les épaules sans réussir à dominer le frisson désagréable qui la secouait.

Ce fut dans cet état qu'elle entra à l'Oasis, désert à cette heure si l'on fait exception de la femme de ménage qui passait l'aspirateur, du plongeur qui rinçait des verres, du barman qui plaçait des bouteilles sous le comptoir devant lui, d'une serveuse qui vidait les cendriers et du gérant qui regardait le décor que Sam était venue démonter: un rideau de scène, rayé jaune et rouge, qui évoquait le devant d'une tente surmontée d'un oignon multicolore incrusté d'étoiles d'argent et de miroirs en forme de croissants de lune. Ce soir, Scheherazade n'en sortirait pas pour raconter sur la petite scène ronde des histoires égrillardes qui remontaient au début des temps, qui avaient traversé les mers et les guerres et qui retrouvaient, dans l'éclairage discret et la fumée, leur pouvoir séducteur.

«Je peux vous aider?»

Cette voix, Sam l'eût reconnue entre mille et une. Ce n'était pas celle du gérant qui, plutôt que de la féliciter pour avoir rempli l'Oasis tous les soirs depuis son arrivée à Treasure Cay, s'en alla en maugréant, emportant avec lui les ennuis de l'administration d'une petite boîte de nuit. Cette voix, c'était celle de Ted. Sam se retourna, lui rendit son sourire qui effaçait l'image complaisamment sadique qu'elle s'était composée plus tôt en pensant à lui. Malgré le plaisir que lui donnait sa présence, elle aurait préféré être seule, à cause de la honte soudaine qu'elle éprouvait devant le décor qu'elle s'était donnée, cette tente qui lui parut tout à coup quétaine, *cheap*, comme un travesti.

«Je sais ce que vous avez fait pour moi.

— Tu sais?

— Baba m'a raconté.

— On peut se fier à Baba. Il faut lui donner cela. Elle fait toujours le contraire de ce qu'on lui demande.»

Ted se mit à rire en la voyant grincer des dents.

«Merci, ajouta-t-il. Vous avez été plus qu'une mère pour moi.»

Sam, qui n'avait pas dix ans de plus que lui, se sentait touchée au vif par le compliment mal tourné de Ted, mais elle savait aussi qu'il ne fallait pas laisser parler son orgueil blessé. *Ce n'est pas le moment d'être cheap*, s'exhorta-t-elle. Comme elle n'arrivait pas, même en y mettant toute sa volonté, à maîtriser de légers spasmes à la hauteur des lèvres, elle bégaya pour s'en excuser:

«Je n'ai pas l'habitude des compliments. "Une mère", dis-tu?

— Personne n'a jamais été aussi chic que vous avec moi. Sam, vous êtes une grande dame.

— Parce que cela aussi, tu le sais.

— C'est...

— ... Baba qui te l'a dit. Excuse mes larmes. Je suis toujours fébrile quand c'est le moment de partir. Les adieux me déchirent, et c'est pourtant le numéro que je répète le plus souvent.»

Pendant qu'ils pliaient la tente pour la mettre dans la valise qui lui était réservée, Ted lui raconta qu'une serveuse de l'Oasis, Betty, avait aperçu, la veille, Ratisboa sortir deux sacs de plastique des poches de son veston et les enfouir dans celles de Santorini qui s'était aussitôt levé en protestant dans une langue qu'elle ne comprenait pas. Santorini avait fini par se rasseoir, mais il avait paru nerveux et irrité jusqu'à la fin de la soirée.

«Intéressant», jugea Sam qui invita alors Ted à l'accompagner à sa chambre.

«J'ai deux choses à te dire et une troisième à te demander.

— J'écoute, j'écoute et j'obéis.»

Ils étaient à peine sortis de l'Oasis que déjà on passait un linge mouillé sur la toile de fond de la scène représentant un désert réduit à quelques ondulations de sable doré sous un ciel bleu sans nuage. Puis on y appuya trois palmiers de carton, d'inégale hauteur. C'est dans ce décor attendu que reviendrait, pour la quatrième fois en un an, le duo Tim et Tam qu'avait rendu célèbre le numéro qu'il avait perfectionné au cours des années, celui des deux bosses de chameau, ennemies mais inséparables, qui ne s'entendaient ni sur la politique et l'économie, ni sur la religion et le sexe, ni même sur le beau et le bon, mais qui se prononçaient sur tout, avec un solide bon sens qui aurait désarmé bien des experts.

Près de la piscine, Baba avait rapproché davantage sa chaise longue de celle de Santorini dont elle prenait une main, en roucoulant:

«Vous avez des doigts de cardinal. On voudrait y glisser des bagues à très grosses pierres.

— Je ne porte jamais de bijoux, protesta-t-il, en retirant sa main.

— Même pas d'alliance?» minauda Baba, en la lui reprenant.

Sam, que ces câlineries agaçaient, se demanda ce qu'une «grande dame» ferait à sa place et, ne trouvant pas de réponse à sa question, passa derrière les tourtereaux sans se faire voir, suivie de près par Ted à qui Baba, dont les cheveux avaient retrouvé leur teinte naturelle, paraissait plus jeune le jour que le soir et infiniment plus attrayante.

Plus tard, quand Ted redescendit le long couloir extérieur qui menait à l'escalier principal, il avait appris deux choses: il savait qu'Aude l'avait dénoncé à la police et que Santorini, qui avait été surpris dans une situation compromettante par Rena et Cari, les avait étranglées, ce qui ne l'émut guère, car les deux jeunes filles n'avaient pas été bien avec lui. On lui avait aussi confié une mission dangereuse et délicate; il s'apprêtait à s'en acquitter.

À midi, Sam se trouvait seule à une table sur la terrasse du restaurant. Voyant venir vers elle Ratisboa, elle l'encouragea à l'aborder en lui faisant un signe discret pour lui faire comprendre qu'elle accepterait volontiers de déjeuner avec lui.

«J'ai beaucoup d'admiration pour vous, dit-il en s'assoyant, et je n'aurais jamais cru que j'aurais aussi facilement l'occasion de vous le dire.

— Vous me flattez.

— Pas du tout, c'est sincère. Mais, simple curiosité: pourquoi vous faites-vous passer pour travesti alors que vous ne l'êtes pas?

— Comment savez-vous?

— C'est Jacopo qui me l'a dit. Il le tient de votre amie...

— Baba!

— C'est bien cela.

— Ce n'est pas bien du tout, mais c'est exact. Il est temps que je parte, soupira Sam. Bientôt je serai limpide comme une source.

— Vous partez?

— Demain matin, par l'avion de 10 h qui me mènera à Nassau. Et vous?

— Je passerai ici encore quelques jours.

— Avec votre ami?

— Jacopo? Lui aussi part demain. Et puis ce n'est pas tout à fait un ami. Tout au plus une relation commerciale. Du temps qu'il était marchand de curiosités exotiques, nous faisions affaire ensemble. Je me rappelle lui avoir cédé de belles pièces que j'avais trouvées au cours de mes voyages. Vous voyez ce que je veux dire?

— Un couteau à manche d'ivoire, par exemple?

— Cela m'étonnerait. Je suis superstitieux. Je ne donnerais ni ne vendrais de couteau à qui que ce soit que je voudrais revoir. Cela, dit-on, pourrait rompre les relations.»

Du tas de questions qui lui montaient à l'esprit, Sam choisit celle qui lui parut la plus naïve, la plus féminine, pensa-t-elle, parce que, pour la prononcer avec conviction, elle dut se mettre dans la peau de Baba, ce qui était étouffant.

«Que fait-on sur un yacht?

— On va d'un port à l'autre, on y descend voir ce que font ceux qui vivent sur la terre ferme. Ce soir, par exemple, je serai de la minicroisière, avec ceux qui n'ont pas de yacht. Me feriez-vous l'honneur de m'accompagner? On y organise un dîner dansant.

— Comme c'est gentil à vous!

— Jacopo, que je viens de croiser, m'a appris qu'il y sera également avec votre amie. Ou, plutôt, c'est elle qui me l'a dit. Alors, c'est oui?

— *Si, senor.*

— Dites plutôt *sim*, car je ne suis pas espagnol, précisa Francisco, dans un accent que Sam n'arrivait pas à identifier. Je le parle de fait assez peu et fort mal, comme me l'a rappelé, ce matin, Jacopo.

— Lui, il en est un authentique?

— Pas du tout. Nous sommes, l'un et l'autre, du Brésil, *where the nuts come from.*»

...et la drogue, pensa Sam.

+

Le bateau plat devait partir à 6 h, et c'est à cette heure qu'il s'éloigna du quai, alors que le soleil commençait de tremper dans la mer. Comme il n'allait pas loin, il ne prit pas de vitesse.

Le bar étant ouvert, Francisco Ratisboa commanda un Bloody Mary et un Scotch sur glaçons. Sam prit le scotch en se disant, mais trop tard, qu'une «grande dame» aurait attendu qu'on lui présente le Bloody Mary. Cet impair aurait pu mal augurer, si Francisco s'en était étonné, mais il n'en fut rien.

«J'avais cru remarquer, l'autre soir à l'Oasis, commenta-t-il, que vous preniez du scotch.

— Je n'ai décidément pas beaucoup de secrets pour vous.»

Sam lui faisait-elle une ouverture? Alors ce serait le moment pour lui de placer quelque galanterie, mais il y renonça. L'accusait-elle plutôt de l'espionner? Cette idée lui fut intolérable et, comme il était lui-même surveillé depuis le meurtre d'un membre de son équipage, ce qui l'avait incité à confier sa «marchandise» à Santorini avant que la police ne la trouve sur son yacht, il se sentit soudain terriblement mal à l'aise. Comment savoir si la soirée s'annonçait prometteuse ou commençait mal? Ce qui le laissait dans le noir, c'est que Sam ne lui apportait aucune lumière. Au contraire. Elle lui paraissait nerveuse et plus vulnérable qu'il ne l'avait cru possible. Était-ce parce qu'elle avait accepté, pour lui, de sortir tout à fait de son personnage, de n'être, ce soir-là, ni Scheherazade ni travesti?

La femme, assise devant lui, n'avait rien de singulier. *Plutôt distinguée,* jugea-t-il. Ses cheveux? *Très courts, mais bien d'autres femmes les portent ainsi.* Son maquillage était discret et, ce que Francisco ne pouvait savoir, c'est qu'il avait fallu à Sam moins de temps pour se faire une beauté que pour avoir l'air *cheap.* Sa blouse, sa jupe, ses sandales étaient comme on en porte dans les Antilles et c'était, en fait, à la boutique de l'hôtel qu'elle se les était procurées cet après-midi même, n'ayant rien trouvé, dans sa garde-robe, qui ne lui ait paru vulgaire. Fallait-il le lui dire? Un compliment est toujours dangereux à faire, car il force la comparaison entre le présent qu'on applaudit et le passé qu'on siffle.

«Pourquoi faites-vous non de la tête?

— Je fais non de la tête?

— Oui. Enfin, j'ai cru que vous faisiez non.

— Ce doit être parce que je viens d'apercevoir votre amie et que je n'en crois pas mes yeux.»

Sam fit un demi-tour sur sa chaise, vit ce qui pouvait être une imitation de ce dont elle avait l'air quand elle voulait se faire passer pour un travesti et en eut un tel choc qu'elle échappa son verre qui se cassa, les glaçons glissant bien loin, emportés par un Johnny Walker de douze ans, dissipé mais bon enfant. Baba riait haut et fort, pendue au bras de Jacopo Santorini qui ne semblait pas se fatiguer de ses câlineries.

Il faut que je l'avertisse, se rappela Sam qui avait tenté de la voir plus tôt, immédiatement après avoir été renseignée sur Santorini par Ted qui était entré dans sa chambre en son absence, avait découvert un grand nombre d'émeraudes dans deux sacs en plastique qu'il avait repliés sans qu'il y paraisse, mais non sans avoir emporté avec lui une preuve matérielle sur laquelle appuyer son témoignage.

«C'est de la folie! lui avait-elle reproché, parce que c'était un vol et qu'il l'avait commis. Il faudrait la remettre là où tu l'as prise.

— Jamais! Je sais où il faut la mettre.

— Où?

— Dans le nombril de Scheherazade.»

Sam avait rouvert la main. Au fond brillait une émeraude de quarante-six carats taillée en forme de diamant.

«Tu vas finir par faire de moi une grande dame», avait consenti Sam qui s'était dit qu'avec une pierre de ce poids Scheherazade ne pourrait plus faire *cheap*.

Le temps pressait. Si Santorini découvrait qu'on l'avait volé, il pourrait croire Baba complice, elle qui l'avait retenu loin de sa chambre. Mais comment faire?

Pendant qu'elle brassait ces scènes réelles et virtuelles, Francisco avait commandé un second scotch qui subit le même sort que le premier car, en se retournant, Sam, qui ne l'avait pas vu, le frappa du revers de la main.

«Garçon! Un troisième scotch!» lança Francisco qui riait, mais qui comptait.

Sam ne toucha pas à son verre comme s'il avait été empoisonné et qu'elle le savait. Puis elle se ravisa, le roula entre ses mains qu'elle porta ensuite à ses joues et à son cou pour se rafraîchir.

«Le vent est tombé, déclara-t-elle, pour se justifier ou pour relancer la conversation.

— Lui aussi», ajouta Francisco qui se rappelait les deux scotches, ce qui le fit rire de nouveau. Mais il riait seul.

Sam suivait des yeux les musiciens qui arrivaient en même temps que les premiers plats du buffet qu'on alignait sur deux longues tables placées en coin, l'une abondamment décorée de fruits en saison, l'autre, de fleurs, des hibiscus surtout, mais aussi des bougainvillées et quelques fleurs de balisier. L'odeur des viandes cuites, fortement épicées, se répandait jusqu'à eux. «On a raison de dire que les émotions creusent l'appétit», confirma Sam, en toussant pour noyer le bruit d'un borborygme.

«Si on allait compter les étoiles du haut du pont supérieur», proposa-t-elle. Mais, en se levant, elle ne put retenir un second borborygme plus sournois que le premier qui se fit entendre sans s'annoncer.

«On ferait peut-être bien de prendre une bouchée avant de monter», proposa à son tour Francisco qui se faisait tellement violence pour ne pas rire aux éclats qu'il en pleurait.

«Qu'est-ce qui vous fait croire que j'ai faim, Francisco?

— C'est pour moi que je disais cela, mais si vous préférez...»

Francisco se rappelait maintenant pourquoi il ne s'était pas marié malgré la promesse qu'il avait faite à son père sur son lit de mort, serment que lui avait bientôt fait oublier sa mère dont le caractère changeant lui avait appris ce que pouvait être le despotisme sentimental lié à la tyrannie du pouvoir domestique. Il avait cru que Sam serait différente des autres, mais de toute évidence...

Sam regrettait le personnage étudié et familier qu'elle avait laissé dans sa garde-robe, le rôle qu'elle improvisait à cette heure lui paraissant limité, pâle et plat. Elle prit une profonde respiration pour éviter de dire une parole qui, de toute façon, ne passerait pas à la postérité et pour ne pas faire un geste qui dépasserait ses intentions. Puis elle se leva. Francisco la suivit, son Bloody Mary dans une main, le verre que Sam avait laissé sur la table dans l'autre. Le diable dut être dans le scotch ce soir-là car, rendu à la cinquième marche, le pied lui manqua et il s'étendit de tout son long dans l'escalier. Sam l'avertit après coup:

«Attention aux marches, Francisco.»

Oui, maman, se retint de répondre Francisco, heureux dans son malheur de constater qu'il n'avait renversé que le scotch et que personne ne semblait l'avoir vu tomber, autre qu'un garçon de table qui lui présenta un quatrième scotch sur glaçons, sans qu'il ait eu à lui faire signe.

Comme c'était un soir de pleine lune et qu'il n'y avait pas de nuages, on ne voyait qu'elle dans le ciel et sur l'eau. *Cela manque de finesse*, pensa Jacopo; *de recherche*, jugea Sam; *de sensualité*, mesura Baba; *d'éclat*, calcula Francisco pour qui les étoiles étaient des pierres précieuses qu'on extrait au Brésil, qu'on taille aux Pays-Bas et qu'on exporte aux U. S. A., en passant par Curaçao puis les Bahamas sans jamais s'arrêter aux douanes. S'il y avait eu moins de lune, plus de nuages et quelques étoiles, cela aurait pu être féerique et chacun aurait eu quelque chose à dire à voix basse. Mais, rien n'alimentant les cœurs et les esprits, on se mit à penser, sur le bateau qui se faufilait entre les îles désertes sans qu'on le sente bouger, qu'il était temps que la musique se fasse entendre pour qu'on se mette à table ou sur la piste de danse.

Sam, inquiète, irritable, injuste envers Francisco qui s'efforçait pourtant d'être aimable avec elle, cherchait les mots que dirait une grande dame dans sa situation, mais tout ce qui lui montait dans la gorge, c'était des bêtises ou des nullités, ce qui la paralysait.

La musique la fit sortir de cette impasse.

«Dansons, proposa-t-elle.

— Je ne sais pas danser la rumba.

— C'est facile, je vais t'apprendre.»

Sam le tutoyait. Était-ce la première fois? Francisco apprendrait à danser la rumba. Sam se plaça devant lui, à bout de bras, bougea les pieds, roula les hanches.

«Vas-y, laisse-toi aller, tu es en vacances.»

Comme il ne restait que quatre ou cinq personnes sur le pont et que celles-ci se dirigeaient vers l'escalier, Francisco se défit de ce qu'il lui restait de complexes et tenta, gauchement à la vérité, d'imiter Sam qui riait — enfin! il n'était pas trop tôt! — pour l'encourager.

«Ouvre-toi à la musique, laisse-la pénétrer dans tes oreilles et couler dans tes pieds en passant partout, partout.»

Francisco écoutait Sam, suivait la musique et se perdait «dans la débauche», lui aurait dit sa mère, en lui faisant de gros yeux et en se pinçant les lèvres.

«Maintenant, tu vas tracer un carré avec tes

pieds. La première ligne va de gauche à droite. Le pied droit d'abord, suivi aussitôt du gauche qui le rejoint, comme ça.»

Sam joignit le geste à la parole.

Francisco n'eut pas le temps de l'imiter. La carotide soudain tranchée par un poignard, il tomba à genoux, effaré, en s'appuyant sur la table près de lui qu'il renversa dans un cliquetis de verres et de glaçons. Sam se pencha au-dessus de lui, interdite, incapable de proférer le moindre mot de consolation. Francisco leva une main ouverte comme un naufragé. Sam compta bêtement cinq doigts, se demanda s'il commandait un cinquième scotch ou s'il lui disait adieu. Derrière elle se tenait Santorini. *Nous devons être les deux seuls vivants sur le pont.* Elle n'eut qu'à se retourner pour vérifier. Était-ce un effet de lune ou était-il aussi blafard qu'il le paraissait?

«Pourquoi? Pourquoi?»

Santorini ne l'écoutait pas plus que la musique et le bruit des fourchettes qui montaient du pont principal. Il tenait pitoyablement la main de Francisco, en la tirant vers lui comme s'il tentait de le relever. Sam recula d'horreur. Voyant qu'il ne pouvait rien pour le contrebandier, Santorini laissa tomber la main de Francisco qui fit un bruit mou sur le plancher de bois.

Était-ce une illusion? Sam sentait la main de Francisco se refermer sur sa cheville.

«Aidez-moi à le jeter par-dessus bord, lança-t-il.

— Mais...

— Il n'y a pas de "mais". Il est mort. Je ne veux pas d'histoires. Faites ce que je vous dis.»

Sam glissa une main sous les chevilles de Francisco, pendant que Santorini le saisissait par les épaules pour le soulever et le jeter à la mer.

«*Man overboard*!» cria en riant Baba qui revenait des W. C., qui n'avait rien vu, mais qui avait deviné juste comme bien des gens qui ont trop bu.

«Ne lui dites rien, souffla Santorini à Sam, sinon vous allez le rejoindre. Riez comme elle.

— Ah! Ah! Ah!» fit Sam de façon assez convaincante, pendant que Santorini prenait le bras de Baba pour descendre avec elle là où l'on mangeait et dansait.

Seule sur le pont supérieur, Sam fixa l'eau, hébétée de stupeur, perplexe, n'arrivant pas à mettre une idée à la suite de l'autre.

Deux heures plus tard, même si elle était toujours sous l'effet du choc, Sam crut remarquer un changement dans l'attitude du réceptionniste de nuit qui lui remit, avec sa clef, une petite boîte, sans échanger de plaisanteries avec elle.

«Des chocolats», expliqua Sam qui fit tomber la boîte dans son sac.

«Vous avez des admirateurs, madame? susurra

Santorini qui tendait la main pour prendre la clef que le réceptionniste avait déposée pour lui sur le comptoir.

— Eh oui! monsieur Santorini, de vrais! Car ce ne sont pas tous les hommes, même parmi ceux qui me suivent d'aussi près que vous, qui me veulent du bien.»

Santorini, en effet, depuis qu'ils étaient descendus à terre, ne l'avait pas laissée s'éloigner de lui, gardant sur elle un œil aussi méfiant que méchant. Sam, qui en sentait le poids à ses chevilles comme une entrave, s'arrêta net au milieu de l'escalier, se retourna, vit ce regard, l'étudia. Santorini lut à son tour tant d'assurance sur son visage qu'il se demanda si la comédienne n'allait pas lui faire une scène.

«BONSOIR!» lui cria-t-elle d'une voix forte pour le faire disparaître. Comme Santorini ne bougeait pas, ni dans une direction ni dans l'autre, Sam changea de ton.

«Vous ne parlez pas beaucoup, mais on ne peut pas dire que vous avez la lame dans votre poche», lança-t-elle soudain, en éclatant d'un rire qui montait et descendait l'escalier, qui courait partout dans le hall comme un enfant mal élevé.

D'abord interdit, Santorini fit un bruit indistinct comme pourrait en faire un duelliste atteint d'une balle au poumon, qui se dégonfle à moitié avant de s'éteindre tout à fait.

Le ridicule, constata Sam triomphante, *est une*

arme qu'il ne faut pas négliger dans les grandes circonstances. Et, comme elle aimait les anecdotes morales, elle conclut: *Mais il ne faut pas en abuser.*

Ces considérations la menèrent jusqu'à la porte de sa chambre. *Mais, au fait,* s'interrogea-t-elle, *où est passée Baba?* Était-elle débarquée? Par la passerelle ou autrement? *Je ne dormirai pas de la nuit! Heureusement que j'en ai l'habitude.* Inutile de vérifier si Baba était dans sa chambre. *Si on repêche deux cadavres plutôt qu'un, on va croire à un meurtre suivi d'un suicide. C'est touchant.* Puis elle revit Francisco — ou l'imaginait-elle? —, une main refermée sur le poignard comme s'il s'était donné la mort. *Comme Néron.* Elle mit la clef dans la serrure. La porte était ouverte. *Si j'étais fine,* jugea-t-elle, *j'irais ailleurs. Mais comme je suis folle, je ne reculerai pas.*

«Surprise!» s'exclama-t-elle, en poussant la porte et en allumant.

Comme surprise, c'en était toute une. Le Chef de police l'attendait, seul cette fois-ci, assis dans le fauteuil. Les valises de Sam étaient sur le lit double, à peu près dans l'état qu'elle les avait laissées, mais il était évident qu'on les avait vidées et qu'on avait tout remis en place ou peu s'en fallait.

«Bonne croisière?

— Je prendrais bien un scotch. Et ne me faites pas croire que vous ne savez pas où est la bouteille», trancha-t-elle.

Pourvu que je ne l'échappe pas, se dit Sam qui

sourit en se rappelant le visage amusé du garçon qui lui présentait un cinquième scotch, au moment où elle descendait rejoindre les autres qui mangeaient autour de la petite piste de danse du bateau. Elle avait tellement peu de force dans ses poignets, à ce moment-là, qu'elle avait préféré refuser, en le remerciant toutefois pour ne pas l'offusquer, surtout qu'il avait dit: «*This one's on the house.*»

Une maison d'horreur, avait-elle précisé, en pensant à Francisco qu'elle venait de jeter à l'eau. *Me voici complice d'un assassin! Je vais finir par aller vraiment en prison, si Santorini ne me tue pas avant, car je me trompe ou ce couteau m'était destiné.*

Un scotch à la fin de cette soirée, mouvementée même pour elle, lui ferait du bien, faciliterait en tout cas la transition entre le monde du crime et celui de la loi, ni l'un ni l'autre ne lui paraissant très rassurants, à elle qui ne se sentait bien que dans celui des contes où l'on passe facilement d'un sujet à un autre au bout d'une phrase, quand ce n'est pas en son mileu. Ce qu'elle aurait donné, en cet instant, pour frotter une lampe merveilleuse ou mettre le pied sur un tapis magique! Mais il n'y avait pas de tapis dans la chambre et la fumée sortait de la bouche du Chef.

«*Hi!* dit-il, en parlant dans le combiné. *Send ice cubes to room 209, will you? Thanks.* Vous me cachez quelque chose, fit-il, sans transition, après avoir raccroché.

— Cela m'étonnerait, prononça Sam, en regardant les valises sur le lit.

— J'en suis néanmoins presque sûr», poursuivit le Chef en revenant de la salle de bains avec les deux verres qui s'y trouvaient.

Sam vida son sac sur le lit.

«Qu'est-ce que c'est?»

Le Chef de police pointait son index vers la petite boîte.

«Ce sont des chocolats. Certains de mes admirateurs devinent que je les aime; alors, ils m'en offrent. Comme ils jugent aussi que je ne veux pas engraisser, ils ne m'en donnent que deux ou trois à la fois. Mais ils sont très chers. Des Leonidas, mes préférés. Vous en voulez? Je suis prête à partager. De fait, je suis prête à tout, ce soir. Non? Vraiment pas? Je n'insiste pas.

— Moi si, persista le Chef, en versant le scotch. Vous me cachez quelque chose.

— Vous avez tout vu.

— Vraiment?

— Vous voulez me fouiller?»

Le Chef de police sourit, amusé. Il écrasa sa cigarette dans le cendrier, s'approcha de Sam.

On frappa à la porte.

«*Come in*», ordonna-t-il.

Sam ne bougea pas, laissant le Chef de police prendre le seau de glaçons qu'il déposa sur la commode, après avoir fermé la porte.

«Où en étions-nous?

— Ce sera deux glaçons pour moi et au moins trois pour vous», suggéra Sam qui avait relevé un brin de malice dans les yeux du Chef de police.

+

«Trop tard pour prendre un petit déjeuner, bâilla Sam. Heureusement que j'ai des chocolats. Cela devrait me tenir aller jusqu'à Nassau.»

Sa toilette terminée, elle ouvrit la boîte dorée. Il y avait, au fond, une feuille de papier à lettre portant, à droite, l'en-tête de l'hôtel et, au centre, le dessin stylisé de trois palmiers au clair de lune. Cette feuille, identique à celles que Sam avait abandonnées avec leur enveloppe dans le dépliant plastifié de l'hôtel, servait d'emballage à deux boucles d'oreilles en forme de coquilles dorées, qu'elle se rappelait avoir vues, et portait ce bref message écrit d'une main nerveuse ou tout au moins tremblante:

«Je crois comprendre que, même si vous étiez Emma, vous ne tiendriez probablement pas tellement à reconnaître une mère qui vous a abandonnée et une sœur dont vous n'avez jamais entendu parler. Alors je ne vous importunerai pas davantage avec une histoire qui ne vaut pas les vôtres, mais que je tenais à vous raconter.

«Acceptez toutefois le petit cadeau ci-joint. Un jour que je portais ces boucles, vous m'en avez fait compliment. Peut-être penserez-vous à moi, sans amertume, en les voyant au fond d'un tiroir où vous ne les oublierez pas tout à fait.

Aude.»

Sam jeta la boîte et mit les boucles dans son sac.

«Cela est bien beau, mais j'ai toujours faim.»

Dans le hall, sept autres personnes attendaient le minibus avec leurs bagages. Sam suivait les siens que portait Ted venu expressément pour lui faire ses adieux, car il n'entrait pas ordinairement si tôt à l'hôtel.

«Pourquoi le réceptionniste de nuit avait l'air bête? Baba a dû lui dire que vous étiez une vraie femme.»

Encore Baba! Un vrai panier percé, celle-là! Mais comment la détester tout à fait?

«Quelle grande gueule tu as», lui reprocha-t-elle gentiment dans le creux de l'oreille, quand Baba, les cheveux noirs rayés de mèches jaunes, lui sauta au cou pour lui faire des bisous comme à une amie de longue date.

«C'est pour mieux te renseigner, ma chère. Car figure-toi que j'ai appris des tas de choses depuis hier matin. Je te raconterai tout cela dans l'avion.»

Sam se demandait ce que Baba pouvait savoir de plus que ce que le Chef de police, qui lui avait montré les photos prises par Rena, lui avait révélé. Elle la regarda longuement dans les yeux sans rien dire pour se donner le temps d'y lire des signes d'intelligence ou d'idiotie.

Ce qui la frappa, c'est qu'elle avait les yeux verts.

«Quand j'étais petite, papa m'appelait son petit trésor parce que, disait-il, j'avais des émeraudes à la place des yeux.

— Des émeraudes?

— Mes yeux, Jay, mes yeux. Tu ne trouves pas qu'ils sont émeraude?

— Ah! tes yeux! Oui, ils brillent comme des émeraudes et ils en ont la couleur.»

Sam les écoutait se tutoyer comme un vieux couple, s'échanger des sourires, se dire des mots doux, la bouche en cœur, mais elle n'arrivait pas à s'attendrir.

«Telle quelle, continuait galamment Santorini, tu es *mon* trésor.»

Baba ouvrait tous ses pores pour s'imbiber de la sauce au rhum caramélisée qu'il versait sur elle et qui la ramollissait, en la réchauffant. *C'est écœurant,* pensa Sam à qui le spectacle obscène d'autant de bonheur poisseux à cette heure de la journée donnait envie de vomir. *Et quel effet les compliments de Jacopo ont sur elle! Ma foi! cette femme, dirait-on, rajeunit à vue d'œil!* À cet instant, Sam lui aurait donné quatorze ans. *Elle en aura bientôt dix, puis huit, puis six. Avant la fin de la journée, elle va faire dans ses culottes.*

«Tu as vu? Montre-lui, Jay.»

Santorini ne parut pas contrarié en levant la main gauche menottée à une mallette qu'il avait trouvée sous son oreiller, la veille, à son retour de la mini-croisière. Elle recouvrait les deux sacs en plastique qu'un membre de l'équipage de La Serena, envoyé par Ratisboa, avait vidés dans la mallette avant de la refermer avec précaution. *La confiance règne,* s'était dit Santorini qui avait compris ce qu'il lui restait à faire.

«Tu ne devineras jamais ce que c'est.

— Laisse-moi essayer.

— Vas-y.»

Baba, pendue au bras libre de Santorini, riait comme une fillette qui vient d'apprendre le fin mot d'une devinette qu'elle pose à son tour à une vieille tante.

«C'est du cuir? Laissez-moi sentir. Le *queer,* je connais ça.»

Santorini nota le léger changement de prononciation, comprit qu'il était visé et cessa de trouver le jeu amusant. Sam vit de fait naître dans ses yeux une lueur criminelle, le regard d'un homme capable de tuer pour sauver sa fragile réputation. Elle pencha la tête pour mettre fin à cet échange et flaira la mallette.

«Vache!

— Pardon?

— C'est de la peau de vache. Un souvenir de votre pays natal, monsieur Santorini?

— Du Brésil? Oui», certifia-t-il, en lui montrant l'étampe en lettres d'or: *Made in Brazil.*

On annonça l'arrivée du minibus. Sam s'assit à côté de Santorini le séparant ainsi de Baba.

«Alors, tu donnes ta langue au chat? plaça Baba qui se sentait un peu oubliée.

— Puisque monsieur Santorini est du Brésil, *where the nuts come from*, comme aimait le dire Carmen Miranda, cette mallette doit contenir des noix.»

Baba continuait de rajeunir. Sam ne se retourna pas dans sa direction pour le constater: il suffisait de l'entendre rire.

«Ce sont des secrets d'État, lui chuchota-t-elle à l'oreille, dès qu'elle put reprendre son sérieux.

— Seriez-vous ambassadeur?»

C'était au tour de Santorini de sourire.

«Je ne suis qu'un courrier diplomatique, protesta-t-il. Je ne sais même pas ce que contient cet attaché-case.

— ... que vous n'avez pas eu la curiosité d'ouvrir?

— Non, intervint Baba. La mallette est piégée. Si quelqu'un tente de l'ouvrir sans la clef, qui est à New York, boum!

— Vous faites un métier dangereux, souffla Sam d'un air entendu.

— Vous aussi, madame, et vous n'avez aucune protection.

— C'est encore plus sûr que de voyager main dans la main avec des explosifs, avança Sam qui ne croyait pas à l'histoire de la bombe. Et pour vous dire la vérité, je donnerais volontiers votre mallette et son contenu pour une serviette de table et un muffin car, moi, j'ai un creux d'appétit.

— Comment, tu n'as pas mangé? C'était superbe, ce matin!

— Fais-moi grâce d'une description.»

Quand le minibus stoppa devant la porte principale de l'aérogare, Baba décrivait toujours, mais Sam s'était peu à peu éloignée du buffet qu'elle lui présentait. Elle pensait plutôt aux boucles d'oreilles qu'elle avait reçues d'Aude, et ce geste, qu'elle avait d'abord écarté, la toucha soudain. Quand elle descendit du minibus, Baba remarqua qu'elle avait versé une larme.

«Triste?» demanda-t-elle, honteuse de ne pas l'être aussi, par sympathie.

Elle a six ans, imagina Sam, *et elle console sa mémé qui pleure sans raison.*

«Les départs me font toujours l'effet d'une rupture. Et, chaque fois, c'est mon cœur que je mets en charpie. Merci, ma bonne Baba, de t'intéresser à mes états d'âme. Mais ce qu'il me faut plus que tout, c'est un muffin.»

Sam sentait se former des borborygmes dans son estomac vide et se disait que le vol, même s'il ne devait durer que vingt-cinq minutes, lui paraîtrait bien long. Ce qu'elle avait oublié, c'est que le vrombissement des moteurs du petit avion jaune et bleu de Bahamasair est assez fort pour noyer presque n'importe quel bruit. Difficile aussi, dans ces conditions de faire la conversation.

Avant de glisser dans son fauteuil, Sam vit que Santorini occupait celui derrière le sien. *Je serais plus à l'aise,* se dit-elle en échappant son muffin sur le plancher, *si nous changions de place.* Mais, comme il n'en était pas question, elle fit semblant de ne pas le voir et disparut devant lui, gardant pour elle sa peur et sa faim, tout en se résignant à partager ses borborygmes avec son voisin.

Le passager, qui l'avait suivie dans l'avion, poussa du pied le muffin de Sam qui alla rouler deux rangées plus loin où un autre mit le pied dessus, l'écrasant comme une galette qu'une enfant, ronde comme un œuf, tenta de ramasser pour le mettre dans sa bouche ouverte pour le recevoir.

«Caca! Touche pas, Coralie!» lui ordonna sa mère, aussi poupine que sa fille.

L'enfant, pour qui c'était, malgré les accidents, substantiellement un muffin, comprit qu'on la trompait et qu'on voulait la priver d'un bien qui était le sien puisque personne ne le réclamait. Sa cause serait entendue. Elle se retint de respirer, ses joues se gonflèrent, rougirent. Elle ouvrit grand les yeux pour laisser passer un flot de larmes, les referma, hoqueta, remplit bientôt l'avion de ses cris, cherchant une oreille sympathique. Mais elle n'en trouva aucune parmi ces vacanciers qui maudissaient la mère qui, ne sachant pas comment s'y prendre pour la calmer, n'aurait pas dû voyager avec elle et leur imposer son intolérable présence. Sam se voyait prendre l'enfant dans ses bras, sortir de l'avion et la déposer très loin, sur une plage isolée où les chiens abandonnés de l'île, qui mangent n'importe quoi pour survivre, la trouveraient et se la partageraient en grognant de satisfaction. Cette image euphorique la remit d'accord avec la réalité. Alors elle ferma les yeux et serra les paupières pour ne pas qu'elle lui échappe.

✢

À l'aérogare de Nassau, Sam reconnut le Chef de police.

«Vous ici?

— Je suis venu vous arrêter, répondit-il, en lui passant les menottes.

— Encore?

— On a découvert le cadavre de Francisco Rastisboa, ce matin. Et la dernière fois qu'on l'a vu...

— ... c'était avec moi, avoua Sam. Serais-je une femme fatale?» proposa-t-elle aussitôt, sachant ne pas être indifférente au Chef de police qui l'arrêtait trop souvent pour que ce ne soit pas suspect. «Et si je vous disais que c'était moi qu'on avait tenté de tuer?

— Qui aurait voulu faire cela?» demanda le Chef, qui connaissait la réponse.

Sam regarda dans la direction de Santorini

qui faisait la queue devant le comptoir de United Airways.

«Pourquoi ne pas me l'avoir dit hier soir?

— Vous me l'aviez fait oublier», lui répondit Sam sans détacher les yeux de Santorini à qui souriait Baba, un pouce dans la bouche. *Elle a deux ans,* pensa Sam. *Puisqu'on m'arrête, je n'aurai pas le plaisir de la voir rajeunir davantage et surtout d'être là quand elle va pisser dans ses culottes.*

«Vous paraissez songeuse.

— On le serait à moins, riposta Sam. Qu'attendons-nous?

— Vos bagages.

— En attendant, vous seriez gentil si vous m'offriez un muffin.

— Un muffin?

— J'ai un sérieux creux d'appétit. Et puis, vous savez ce que c'est? On n'entre pas en prison par la cuisine. Il n'y aura probablement pas non plus d'en-cas dans ma cellule. Alors... Prenez-en un aussi pour vous. C'est si triste de manger seule.

— Placez-vous comme cela.

— Bon! J'ai maintenant le soleil dans les yeux.

— Chut! Ne bougez pas. Ayez l'air de...

— ... de quelqu'un qu'on arrête?

— C'est ça.»

Le Chef de police suivait des yeux Santorini et Baba qui tenaient chacun sa carte d'embarquement. Restaient les douanes, le contrôle des passeports, la surveillance électronique. Des formalités. L'important, c'était que Santorini prenne l'avion pour New York où l'attendaient des agents de la F. B. I.

«Ce n'est pas mon meilleur rôle», se plaignit Sam qui préférait jouer la star qui arrive en ville par la grande porte.

«Qu'est-ce que ces imbéciles sont en train de faire?» hurla le Chef de police.

Sam se retourna pour voir. Une gardienne de l'aéroport avait saisi la mallette de Santorini qu'elle tentait d'ouvrir. Baba criait comme un bébé qui a la colique.

«J'aurai tout vu, jubila Sam, *à la limite de la dilatation et de l'épanouissement*, elle va pisser dans ses culottes!

— Restez ici», ordonna le Chef.

Mais avant qu'il n'ait pu faire un pas, une détonation se fit entendre qui ébranla l'aérogare, semant partout la confusion et la panique.

«Ne regardez pas!»

Le Chef de police se précipita vers le contrôle de sécurité.

Quand il en revint, Sam avait disparu.

«Vous me cherchez? demanda-t-elle, en mordant dans un muffin. Voici vos menottes; elles m'ont encore glissé des mains.

— Vous êtes libre.

— Vous en êtes sûr?»

Il y avait dans les yeux de Sam une lueur qui ne mentait pas.

«Je devais feindre de vous arrêter pour mieux prendre Santorini au piège, lui et son "contact" à New York, en lui faisant croire que je ne le soupçonnais de rien, expliqua-t-il. Sans cette gardienne qu'on n'avait pas avertie et qui a fait du zèle, nous aurions pu mettre fin à ce réseau de contrebande.

— Dommage.

— Oubliez cela.

— Vous croyez que ce sera possible?

— Essayez.»

Sam cherchait le mot qu'il fallait dire, les yeux fixés bêtement sur son muffin.

«Vous pouvez prendre votre avion, proposa le Chef de police. Mais si vous préférez retarder votre départ d'un jour ou deux... Vous connaissez Nassau?

— Pas vraiment.

— J'y ai un pied-à-terre.

— C'est une invitation?

— C'est une invitation.

— Je serai princesse ou prisonnière?

— Vous serez et vous ferez ce que vous voudrez», précisa le Chef de police qui la regardait émietter le reste de son muffin pour que les oiseaux s'en nourrissent.

Elle pencha un peu la tête d'un côté et puis de l'autre pour ajuster les boucles d'oreilles que lui avait données Aude:

«Alors, je vais vous raconter une histoire», promit Sam, ignorant encore que le Chef de police avait rempli ses poches d'émeraudes qu'il venait de ramasser pour elle autour des cadavres défigurés, méconnaissables de Santorini, de la gardienne et de Baba dont il avait vu un œil confondu parmi les pierres vertes.